D0611087

CE MUR
QUI REGARDAIT...

SUPER LUXE FLEUVE NOIR

HORIZONS DE L'AU-DELA

JEAN MURELLI

CE MUR
QUI REGARDAIT...

EDITIONS FLEUVE NOIR
6, Rue Garancière-Paris VIe

Edition originale parue dans notre collection : ANGOISSE, sous le numéro 55.

A Frédéric Dard,
en grande amitié,

J. M.

CHAPITRE PREMIER

J'écoute !

La nuque raidie, la tête hors de l'oreiller, les yeux écarquillés sur l'obscurité de la chambre, voici que j'écoute à mon tour.

Anne-Marie, contre moi, le corps abandonné au sommeil pesant qui la rend inerte, respire à un rythme court. Quelques milligrammes de gardénal l'ont enfermée dans l'inconscient, aussi totalement que peut l'être un oisillon dans l'œuf qui le protège. Elle va vivre ainsi, pendant quelques heures, de cette existence uniquement viscérale, où l'esprit abdique enfin.

Mais c'est moi, maintenant, qui entends. Ou plutôt qui crois entendre.

Car à vrai dire, il n'y a rien. Il ne peut rien y avoir. Qui donc s'amuserait à chuchoter et à rire, ici, dans le coin de la chambre ? Nous ne sommes pas au cœur d'une forêt pour contes de nourrice, mais au second étage d'un immeuble bien bâti, bourgeoisement habité — comme l'on dit — et en plein Paris.

Le cri d'Anne-Marie m'a arraché brutalement tout à l'heure à mon premier sommeil. Son angoisse, sa nervosité, m'ont atteint avant que j'aie pu retrouver toute ma lucidité d'homme éveillé.

— Robert !... Robert !... Ecoute !... On parle !

C'est là !... Là... près de la fenêtre !... Cela change de place !... Oh ! Robert, on nous entoure ! On rit !

Mon premier mouvement a été pour bondir hors du lit et mon second pour saisir le cordonnet qui commande l'allumage de l'applique. La lumière a jailli, intime, douce et nacrée. Les meubles nous sont apparus avec leurs habituels contours. Avec quelque chose de plus inanimé peut-être, à cette heure nocturne. Car il doit y avoir aussi un sommeil pour eux.

Mais tout cela respirait l'innocence et la paix. Rien n'était déplacé. Aucun détail insolite n'accrochait le regard. Rien ! Nous étions bien seuls, Anne-Marie et moi, dans cette chambre que nous aimons, et qui est la nôtre depuis quatre ans.

J'ai glissé mon bras sous les épaules de ma femme, je l'ai attirée vers moi :

— Tu as fait un cauchemar, ma chérie.

— Non, Robert, non ! Il y a un moment déjà que je suis réveillée et que j'entends ces chuchotements, ces petits rires aigus, ces bribes de phrases. Car cela parle !

— Allons donc ! Et que dit-on ?

— Je ne sais pas. On parle une langue inconnue qui... qui ressemble à... à...

— A ce qu'on entend dans les cauchemars ! Rien n'est aussi intraduisible que le langage d'un cauchemar ! Allons, petite bête, remets-toi. Tu sais bien que nous sommes rien que nous deux, ici !

Elle secouait doucement la tête. Ses longs cheveux accompagnaient ce mouvement dans un remous de soie cuivrée.

— Robert, je... je t'assure que je sens une mauvaise présence !

— Quelle présence pourrait-il y avoir ici, en dehors de la tienne et de la mienne ? Hein ?

Elle n'a pas répondu, mais ses yeux ont parlé. Au

fond de leur eau limpide a glissé une ombre. Cette ombre que je n'aime pas voir et que je cherche maintes fois à surprendre, comme on guette le retour d'un mal disparu.

Je l'ai serrée. Mes muscles durs s'imprimaient dans le galbe satiné de ses membres. Ses deux mains cramponnées à mes épaules étaient crispées comme des mains de noyée. Nous sommes restés ainsi un long moment, sans désir plus précis, unis seulement par notre mutuelle tendresse. Enfin les lèvres d'Anne-Marie se sont posées légèrement sur ma bouche :

— Je t'aime, tu sais, Robert !

Pourquoi répéter ces mots avec toujours la même intonation renforcée ? Celle que l'on prend pour mieux se persuader soi-même de ce que l'on dit ?

Pourtant son baiser est bien celui d'une femme aimante.

Mais qu'allais-je donc chercher, moi aussi ?

Décidément, cette soirée nous a tous plus ou moins tourneboulés dans la maison !

La lumière éteinte, j'ai senti de nouveau Anne-Marie s'agiter.

— Oh ! Robert !... Robert !... Je les entends !... Cette fois j'en suis sûre, ils sont là, dans la chambre !

— Mais qui, *ils* ?

— Est-ce que je sais ? Ce n'est pas possible que tu n'entendes rien ! Ces mots qui disent des choses menaçantes ! Ces rires qui se moquent !... Robert, serre-moi !... Défends-moi !

J'ai rallumé. Elle claquait des dents, en proie à une terreur panique et au bord de la crise nerveuse.

Cette fois je me suis levé. J'ai inspecté notre chambre, coin par coin, meuble par meuble, lame de parquet par lame de parquet. J'y ai mis autant de soin que si j'accomplissais ce travail pour un client.

Enfin j'ai plaisanté :

— Voilà, chère madame. L'enquête est terminée. Aucun indice ! Pas un seul gangster dans les tiroirs de la commode ! Ni sur les planches de l'armoire, entre deux liquettes ! La pendule n'est pas non plus habitée. La cheminée ne cache personne. Pas même le Père Noël !

— Robert ! Reste là ! Où vas-tu ?

— Te chercher des comprimés dans la salle de bains.

J'ai fait fondre du sucre dans un peu d'eau. Je sais que le sucre est un tonique pour les nerfs. Je lui ai tendu ensuite deux pastilles d'un joli rose. Ses mains tremblaient encore en prenant le verre.

J'ai fait la grosse voix :

— Et maintenant, tâchons voir à pioncer, là-dedans ! Et plus vite que ça ! Ou vous aurez de mes nouvelles, jeune bécasse !

— Robert... tu es toujours si bon ! Et j'ai toujours tellement besoin de ta bonté ! Mon Robert chéri ! Pourvu que notre bonheur ne soit pas menacé !

— Vas-tu te taire ? Moi je me sens menacé de n'avoir pas assez roupillé. J'aurai mal au crâne demain à l'agence !

— C'est vrai. Tu as besoin de ton sommeil, mon grand !

Je l'ai gardée longtemps blottie dans mon bras, sa tête au creux de mon épaule. La lumière de l'applique moirait la peau de son visage et de sa gorge, donnait à sa chair les tons chauds et laiteux d'une perle vivante. Enfin, j'ai vu les grands cils palpiter, puis invinciblement se rejoindre. Le corps rond et tiède s'est détendu. Le remède opérait. Je pouvais éteindre et dormir.

Je ne dors pas. J'écoute.

Il me semble à présent... que je perçois des sons bizarres... des rires... des mots... Et on jurerait bien que c'est dans la chambre.

Une rigolade ? Une farce ? Ou quoi ?

Quelqu'un viendrait me raconter un truc aussi louftingue, que je me paierais royalement sa physionomie. Je le traiterais familièrement de... oui ! Et, plus poliment, d'illuminé !

Je ne suis pas un illuminé. J'ai au contraire une nature très positive, avec l'instinct aigu du chasseur. Rien ne prédispose moins à la fiction que cet instinct-là. Il ne peut conduire qu'au seul fait, au détail valable, contrôlable. Jamais il ne s'égare en dehors de ce qui peut être touché, vu, saisi.

Et cependant, ce que j'entends me paraît bien réel. Il y a des rires grinçants, des mots qui doivent contenir des sarcasmes... !

Allons, allons ! Anne-Marie m'aura légué son cauchemar. Elle s'en est déchargée sur moi et je le vis tout éveillé.

Je n'en éprouve aucun effroi. Plutôt un agacement, une mauvaise humeur que je ne sais comment extérioriser. Ah ! certes, j'aurais préféré avoir affaire à un quidam malintentionné ! Une belle châtaigne envoyée dans un vilain portrait, voilà qui soulage un bonhomme ! La bagarre ne me fait pas peur. Elle est une nécessité de mon métier.

Mais pour ceci, à qui s'en prendre ? On ne peut pourtant pas appeler Police Secours ! Il n'y a pas de brigade contre les cauchemars !

Voyons... serait-ce une mouche retenue dans une toile d'araignée, et que le désespoir agite ? Elle ferait ce bruit derrière l'armoire ?

Mais une mouche ne rit pas. Ne parle pas !

Une souris qui se serait égarée dans une canalisation ?

Parlerait-elle ? Rirait-elle ?

Comme canalisation, il n'y a que les tuyaux du chauffage. Ils sont remplis d'eau chaude. Il faudrait une souris aquatique ! A moins que ce ne soit un

poisson rouge échappé d'un aquarium et qui s'imagi-
nerait nager dans le Gulf Stream ?

Triple idiot ! Vas-tu finir ?

Je dois être endormi et je rêve. L'émoi d'Anne-
Marie m'a profondément et désagréablement
remué. Cela a perturbé mes fibres nerveuses. Elles
sont pourtant blindées !

Peut-être fais-je un peu de tension ? Je travaille
beaucoup, sans trop prendre le temps de souffler.
On m'apporte chaque jour des monceaux d'affaires
à débrouiller. Bientôt je n'y suffirai plus, malgré mes
collaborateurs. L'agence marche à plein, comme
une locomotive bourrée. Mais à force de refaire
toujours les mêmes gestes, de répéter les mêmes
choses...

Alors, j'ai un coup de dépression ? Fatigué, mon
vieux Robert, d'aller fouiller dans la vie des bonshommes ou des bonnes femmes, pour y surprendre
leurs sales petites histoires, en faire le tri, remplir
des fiches, gonfler des dossiers ! « Renseignements
en tout genre, filatures, etc. » Eh ! oui, tu travailles
dans les dessous ! Ça manque parfois d'air pur. On
côtoie des gens si peu frais...

Bah ! tous les métiers n'ont-ils pas leurs salis-
sures ?

Non, je n'ai pas de tension. Une vraie tarte à la
crème, à présent de tout mettre sur le compte de la
tension ! Et puis, à trente ans, les artères ne sont pas
encore galvanisées comme du vieux caoutchouc. Les
miennes sont en excellente condition. D'ailleurs je
ne fais pas d'excès. Enfin, ce que l'on appelle « des
excès ». Je profite des petits cadeaux que fait la vie,
voilà tout et...

Suffit ! Arrêtons ces discours ! Je ferais mieux de
dormir, plutôt que de verser dans le « monologue
intérieur », comme si je voulais me lancer dans le
roman vécu !

Ouste ! Un bon coup à l'oreiller pour houspiller le duvet. Pardi ! C'est sa faute à ce benêt trop mou !

N'est-ce pas plutôt la faute de cette soirée ridicule que nous a fait passer mon beau-père ?

Mais à quoi cela me servira-t-il de la revivre, à trois heures du matin, au lieu de dormir ? Est-ce pour y trouver la clé de ce mystère d'hallucinations auditives dont je crois être l'objet ?

Si l'ami Tréguer me voyait en proie à de pareils phantasmes, moi, « l'homme fort aux semelles solides », comme il m'appelle, il se dilaterait la rate. Il en serait tout excité, l'idiot ! Je l'entends d'ici m'entreprendre sur « les forces cachées », les manifestations occultes et autres faribondaines auxquelles il croit ! Sacré breton, va ! Fakir de cirque !

Et je ne dors toujours pas ! Si je prenais, moi aussi, de ces comprimés somnifères ? Allons-y. Je n'allume pas pour éviter de réveiller Anne-Marie. J'irai à tâtons. La porte de la salle de bains est en face et il n'y a pas d'obstacle sur le parcours.

Pas d'obstacle ?

Alors, qu'est-ce qui m'empêche d'y aller ? Quelle est cette impression dirimante ? Je me sens hérissé. Ma foi oui : hérissé comme cet animal, ce soir, dans le bureau de mon beau-père.

Il était en train de nous montrer une pierre, un bijou assez baroque qu'un très jeune type lui avait proposé d'acheter, le soir même, au magasin. Je ne sais pourquoi, ce bijou m'a tout de suite déplu.

— C'est curieux — disait mon beau-père, ayant ajusté sa loupe de joaillier. J'examine cela depuis qu'on me l'a confié et je ne suis pas encore arrivé à en déterminer exactement la nature.

J'ai dit tout de suite que je trouvais l'objet tocard. Mais mon beau-père s'est récrié :

— Oh ! Robert ! Mais voyez donc la qualité de ce

cristal ! Ce bloc est merveilleux et si finement taillé...

— Oui, mais ce qu'il y a au fond ?

— Cette pierre couleur d'ambre foncé ? Est-ce une gemme naturelle ? Est-ce un produit synthétique ? Il a des reflets singuliers. Jamais je n'ai vu cela.

Je me suis rendu compte que je faisais une grimace dégoûtée !

— Elle ne vaut peut-être pas quatre sous, votre trouvaille.

— C'est possible, a répondu mon beau-père. Pourtant, travailler un si beau bloc de cristal pour y enfermer un vulgaire caillou ? Cela me surprendrait. Le vendeur doit revenir demain.

Je n'allais pas discuter plus longtemps, moi, pauvre ignare, avec un homme aussi qualifié que mon bijoutier de beau-père. Anne-Marie était restée songeuse, comme figée. Cette pierre avait l'air de l'inquiéter.

A ce moment « Monsieur Tigou » entra, de son pas feutré, et frôleur. Son poil soyeux, d'un gris bleuté, ondulait au gré de sa marche féline. Oreilles droites et moustaches dardées, il sauta tout d'abord sur les genoux d'Anne-Marie, exigeant son tribut de caresses. Ce chat n'est-il pas le dieu de la maison ? Il nous tient tous sous son charme, nous comble de ses grâces, ou nous dédaigne, selon son caprice ou son humeur. Nous l'admirons, nous l'aimons. Lui nous utilise.

Mon beau-père l'a constamment avec lui. Installé, sans aucune vergogne, sur la table de travail du joaillier, le chat se promène parmi les parures, les rubis, les émeraudes, posant une patte légère entre deux bracelets, ou au milieu d'un lot de bagues. Il s'amuse parfois à faire rouler les perles, pour avoir le plaisir taquin de les rattraper au moment où elles vont se répandre à terre. Tantôt il restera des

minutes entières immobile, considérant des cabochons, aussi scintillants que ses yeux, et dont l'éclat
le flatte.

— Cet animal a le sens des joyaux ! aime à répéter
mon beau-père. Son goût est sûr. Je l'ai vu, un jour,
repousser une pierre, dans laquelle je n'avais pas, de
prime abord, décelé la tache qui la déshonorait !

Cela mon beau-père le croit. Il ne faudrait pas lui
répondre que le geste de son chat n'est qu'un hasard
fortuit, le réflexe d'un tendon dans la patte d'un
animal inconscient. Il en serait fâché, peiné. A quoi
bon contrister cet excellent homme ?

« Monsieur Tigou » est donc aussi fin joaillier que
son maître.

Or, ce soir, que s'est-il passé ?

— Venez, « Monsieur Tigou » ! a dit mon beau-
père d'un ton chantant. Venez, que je vous montre
ce bloc étonnant. Voyez ! Flairez ! Posez votre nez
d'expert sur cet objet curieux !

Là-dessus, Anne-Marie dépose le chat sur la
longue table, éternellement encombrée. Mon beau-
père tend l'objet entre deux doigts, l'approche de
l'animal. A cet instant, « Monsieur Tigou » arque
son dos, se hérisse, puis avec un râle effroyable,
saute d'un seul bond sur la haute cheminée. Là, il se
met à cracher sa colère, nous regardant avec des
yeux fous.

Anne-Marie, vite apeurée, se précipite dans mon
sillage. Son père, ahuri, consterné, appelle en vain
l'animal. Celui-ci, de plus en plus furieux, vient
maintenant de grimper au-dessus de la fenêtre, sur la
tringle à rideaux d'où, littéralement, il nous insulte !

— Mais voyons, « Monsieur Tigou » ! proteste le
joaillier. Que vous arrive-t-il ? Que vous a-t-on fait ?

— N'approche pas, papa ! Prends garde ! Cette
bête est enragée ! supplie Anne-Marie.

Moi j'ouvre tout simplement la porte de l'atelier.

Le chat, dans une détente prodigieuse, nous passe au-dessus de la tête et s'enfuit. Nous entendons dans les couloirs ses abominables clameurs. Il a dû descendre au rez-de-chaussée et sauter dans la cour de l'immeuble par le vasistas de la cuisine, provoquant du même coup les cris d'Emilie.

Tel fut l'incident.

Après un moment de consternation muette, mon beau-père revint à sa table et reprit le bijou. Je vis que sa main tremblait. Anne-Marie était blême, les yeux agrandis par une angoisse informulée.

— Papa, ne garde pas cette pierre ! Il y a un sort sur elle !

Je pris le parti de rire.

— Et à nous le mystère et la fantasmagorie ! Comme si ce bloc de pierre était pour quoi que ce fût dans la crise de Tigou !

— C'est pourtant lorsque je lui ai présenté cet objet...

— Coïncidence, père ! Simple coïncidence. Tigou est probablement tourmenté par de méchants ascaris, ou autres oxyures, installés dans ses intestins de chat trop bien nourri. Une colique l'a surpris, puis effrayé. Il n'a pas l'habitude d'être malmené, ce monsieur ! Cela l'a rendu furieux. Donnez-lui donc un bon vermifuge et vous verrez de quoi est fait le mystère.

— Tu expliques toujours tout, toi ! me dit Anne-Marie.

Je ne sus discerner s'il y avait dans sa phrase une approbation ou un secret dépit. Peut-être bien les deux ?

Pauvre petite ! Je l'entends dormir. Je sens sous ma main la tiède coupole d'un sein qui régulièrement se soulève. Elle est calme, délivrée. J'ai enfoui mon visage dans ses cheveux. Ils ont un parfum

végétal. J'évoque des taillis où poussent la fougère...
Vais-je enfin dormir ?

Non ! Un film passe et repasse dans mon cerveau.
Les images reviennent, insistent, font des poses.

Voici encore le chat furieux ! Voici encore le chat
qui se sauve en hurlant. Voici mon beau-père qui
tend encore le bijou. Voici... voici... voici... Oh !
assez !... Voici ensuite l'excellente Emilie, servante
sans reproche, qui s'ébouillante le pied. Elle a mal
pris la casserole de lait et tout s'est répandu !
Pendant ce temps, la sonnerie du téléphone retentit
à intervalles irréguliers. Cela provoque des mots
aigres avec les téléphonistes, qui jurent n'avoir fait
aucun appel. Je demande un escabeau pour examiner le timbre, placé assez haut. En l'apportant, mon
beau-père, nerveux, heurte une vitrine qui s'effon-
dre en morceaux ! Un instant après, une grosse
pendule Louis XIV, mal calée sans doute, sur un
socle du magasin, bascule et s'écrase à même les
dalles ! Cela a fait un bruit fracassant, avec des
résonances déchirantes, comme celles d'un glas.

Notre dîner familial du jeudi soir est gâché par ces
incidents. Ce que j'appelle de petits malheurs en
cascade. Ainsi le veut la loi de la série. Rien de tout
ceci n'est bien grave. Il ne faut surtout pas y attacher
d'importance. L'enchaînement de ces faits ne
prouve rien.

Je m'entends encore expliquer tout cela à ma
femme et à mon beau-père, devant Emilie éplorée,
que sa cloque fait souffrir et que l'attitude de Tigou
inquiète :

— Vos nerfs vous dominent, ai-je dit, et vous font
perdre votre self-control. De là à imputer ces
menues catastrophes à la présence d'un objet, c'est
un peu puéril. Il arrive qu'un manche de casserole
tourne malencontreusement, qu'une pendule soit

mal équilibrée, qu'un téléphone se dérange et qu'un chat ait mal au ventre.

— Et tout en même temps ? Le même jour ?

— Pourquoi pas ? La semaine dernière j'ai grillé mon rasoir électrique, je me suis coupé avec la lame de l'autre. Ensuite j'ai calé le moteur de ma voiture devant un feu vert ! Ayant une longue course à faire, j'ai crevé en route. De plus, je me suis assis sur mon chapeau ! Et je vous assure que je n'avais sur moi aucune pierre miraculeuse !

— C'est pourtant depuis que cette pierre est chez nous...

— Tout se serait produit de la même façon si elle n'y avait pas été, père. Croyez-moi.

— Mon cher Robert, vous êtes ici l'esprit positif. Seul, ce qui peut se surprendre d'un coup d'œil, se poursuivre à la course, ou se découvrir dans la plus ingénieuse cachette, retient votre attention. Loin de moi l'idée de vous en faire un reproche. J'admire votre sens de la réalité. Je l'envie. Mais admettez que nous soyons plus sensibles à certaines manifestations de l'indéfinissable...

— L'indéfinissable n'existe que dans l'imagination qui le crée. Or, ce soir, vous avez créé l'indéfinissable à cause d'un vulgaire caillou et de quelques gags tragi-comiques !

— Il y a une magie des pierres, je vous assure. Certaines peuvent être maléfiques ou bénéfiques.

Je sens que mon beau-père va nous entraîner sur un terrain que je juge dangereux et qui m'est personnellement pénible.

— Vous n'allez pas nous reparler de cette fameuse opale, père ? Je croyais votre esprit débarrassé de ces superstitions ridicules.

— Mais mon pauvre ami, je suis bien obligé de me rappeler que c'est après l'achat d'une certaine opale, à l'éclat extraordinaire, que bien des mal-

heurs ont commencé ici ! Ce fut d'abord la mort de
ma pauvre femme...

— Vous vous l'êtes imaginé !

— Savez-vous que celui à qui j'ai revendu la
pierre a été tué peu après dans un accident de
chemin de fer ?

— Les voyageurs qui étaient dans le même train
n'avaient pas tous des opales, cher père.

— La pierre a attiré le malheur sur eux.

— On devrait fouiller les gens avant de les laisser
franchir le portillon des gares !

— Riez, mon bon Robert ! N'empêche que
l'opale a laissé d'illustres exemples de sa malfai-
sance !

— Oui, je sais ! Je vois ! La belle impératrice,
auréolée de fatalité... les violons sanglotant leurs
valses sur des tombeaux d'archiducs... Toute cette
imagerie romantique ! Ce qu'il y a de curieux c'est
que, si en France, on se méfie de la fameuse opale,
en Angleterre, au contraire, on la demande et on la
porte.

Ce fait précis eut l'heur de contrarier mon beau-
père, tout comme sa marotte de mystère à tout prix
m'agaçait. Le visage crispé d'Anne-Marie me tour-
mentait. Je sentais remonter en surface des choses
qu'il eût mieux valu laisser se perdre au fond de nos
mémoires. La discussion prit un ton acerbe. Pour la
première fois, mon beau-père se piqua sérieusement. Il me répondit que nos esprits différaient et ne
fréquentaient pas les mêmes domaines. J'en conclus
que le mien ne devait pas s'élever beaucoup plus
haut qu'une semelle de godillot sur le bitume. La
soirée tourna court.

Ensuite j'ai emmené Anne-Marie. Je voulais à
tout prix la distraire, changer le cours de ses idées.
La direction que je leur voyais prendre m'était
particulièrement désagréable. Nous sommes allés

dans un cabaret de chansonniers. L'ambiance bon enfant nous a détendus. Rien de tel pour se calmer les nerfs que d'entendre bastonner nos braves politiciens !

J'ai retrouvé le sourire lumineux d'Anne-Marie, ses yeux limpides et la tiédeur fondante de sa main cherchant la mienne.

Je sentais que nous étions à nouveau de connivence et que rien ne nous séparait. J'en fus heureux d'une joie drue et simple.

Nous sommes rentrés à la maison. Une lumière au premier étage, au-dessus de la bijouterie, indiquait que mon beau-père veillait encore. S'occupait-il toujours du malencontreux caillou ? « Monsieur Tigou » s'était-il calmé ?

Avant d'atteindre le deuxième étage et de rentrer dans notre appartement personnel, Anne-Marie s'arrêta.

— Robert... tu ne voudrais pas que nous allions voir comment va papa ?

Qu'allait-elle imaginer encore ? Je pris le parti de plaisanter :

— Sans doute éprouves-tu à son égard un mauvais pressentiment ? La pierre fatidique lui a peut-être occasionné une horrible maladie ? Peste, choléra, fièvre jaune ?

— Ne te moque pas ! Viens !

Mon beau-père nous a ouvert lui-même. Tout bêtement !

— Je suis content de vous voir rentrés. J'allais avaler un cachet pour dormir. Les voisins font de drôles de bruits... On ne sait pas ce qu'on entend... Tout est drôle ici !

— Et le chat ?

— Toujours dans la cour. Il ne veut pas rentrer. De temps à autre il miaule misérablement. Je me demande ce qu'il faut faire.

— Téléphoner au vétérinaire demain matin. Dormez tranquille, père. Tout ceci s'arrangera très bien. Dormez !

C'est moi, à présent, qui ne dors pas.

J'essaie d'expliquer la marche des choses.

Rendue à ses appréhensions, Anne-Marie a ruminé les diverses phases de cette soirée. Le comportement du chat, ses plaintes, les derniers mots de son père sur les bruits inexplicables des voisins. Puis elle a dû sombrer dans le sommeil. Un cauchemar l'en a tiré. Elle a cru entendre des choses étranges, etc.

Exaspéré, j'imagine à présent que je les entends aussi !

Oui, je les entends. Mais beaucoup plus confusément que tout à l'heure. Il s'y mêle des images... Les classeurs de l'agence... Des montagnes de fiches qui basculent... Tigou qui joue avec une bille de cristal... Il l'envoie jusque dans les nuages... Tiens ! voici mon vieux copain Tréguer. De ses manches sortent des cartes à jouer... la dame de pique... beaucoup de dames de pique... A présent, ce sont les morceaux de la vitrine brisée... ! Et par ici ? Ce visage qui semble flotter ?... Ce visage, jamais tout à fait oublié, avec sa matité morbide, son profil aigu... ses cheveux ténébreux... son sourire étiré... ?

CHAPITRE II

Rien n'est moins propice au mystère qu'une agence de police privée. Les secrets éventés perdent vite leur piment. Les mobiles cachés apparaissent platement standardisés sous la lumière crue d'une lampe de bureau.

Et c'est toujours la même histoire ! Répétée sur des centaines de fiches : filouterie entre associés, chantage à la révélation, faux testament, acrobatie comptable et enfin, notre pain de tous les jours : l'adultère.

Passions, haines, rêves, ambitions, tout cela est contenu dans nos classeurs. Réduit à l'état schématique. Il n'y a que les noms et les adresses qui changent.

« ... Rencontré M. Machin-Chose à seize heures. L'ai vu entrer au numéro 22, rue de la Tour-Prends-Garde. Rez-de-chaussée. Ressorti à dix-sept heures quarante-cinq... Quinze minutes après lui, sortait la dame au béret vert...

« ... Suivi le chef comptable Zède, des Etablissements Ixevé. A pris un taxi et s'est fait conduire à la gare du Nord... »

« ... Renseignements précis à propos de la présence constante de Mlle Lapieuvre, durant la maladie de feue Mme Lemagot. Avait forte influence sur la défunte... »

Et ainsi de suite, jusqu'à la fin du monde !

Les fiches sont rangées, classées. Les dossiers établis. Certains avec des photos. Tout ici est net et dans un ordre strict.

L'ordre du désordre, pourrait-on dire.

Après cela, que la conclusion soit tirée avec un canon de 6,35 ou inscrite sur un registre d'écrou, voilà qui n'est pas notre affaire.

Ici nous renseignons. Nous vendons de la certitude comme ailleurs on vend des chemises ou des séjours en croisière.

En passant sous la voûte, j'ai toujours un coup d'œil pour la plaque de cuivre qui porte encore le nom de mon père : « Agence G. Ferrand et Fils ».

Le fils s'appelle Robert. Il a mal dormi.

A cette heure de la matinée, le crépitement des machines à écrire passe à travers les portes matelassées, la sonnerie du téléphone se répète de bureau en bureau.

Déjà, l'on a introduit dans le salon d'attente quelques nouveaux clients à la mine embarrassée, ou affectant une fausse désinvolture.

Quelqu'un vient d'entrer dans mon cabinet. Des pas retenus, une petite toux aigrelette. C'est Mlle Olga, secrétaire attentive. Elle était déjà là du temps de papa.

— Bonjour, monsieur Robert. Voici le courrier.

— ...jour ! Posez-le où vous voudrez.

J'ai le ton grognon ce matin.

Deux mains s'avancent dans le champ de mon regard et déposent sur mon bureau un confortable paquet de lettres. Je souffle comme si je voulais plonger tout le quartier dans le noir. Pffhou ! Je n'ai pas encore levé les yeux sur Olga, mais je suis sûr que les siens, de gros yeux de brebis, à fleur de tête, suivent chacun de mes gestes :

— On a téléphoné de Londres, monsieur Robert, les Lloyd's, pour l'affaire du bateau de...

— Ouiiiii ! Après !

— Après il y a eu une communication du Maroc, et aussi une de Hambourg, où vous envisagiez de vous rendre cette semaine en personne...

— Vous m'en parlerez plus tard. J'ai un dossier à examiner.

Mon ton est rogue décidément. Je sais qu'il désole la pauvre fille. Mais je ne peux tout de même pas lui dire que des voix mystérieuses ont troublé mon sommeil ! J'aurais bonne mine !

— De quel dossier s'agit-il, monsieur ? Puis-je vous le passer ?

— Je le chercherai moi-même. Merci.

Elle hésite quelques secondes. Ce sec congé l'affecte dans sa fidélité de vieille employée. Enfin elle se hasarde et revient vers mon bureau :

— M. Grébard et M. Durieux sont dans leurs bureaux. Ils ont demandé, l'un et l'autre, à vous voir dès votre arrivée. M. Theillan est déjà parti, lui, pour la filature du caissier des Grands Comptoirs...

— Oui ! C'est bon ! Je vous ai déjà dit que j'avais un dossier à voir. Je ne veux pas être dérangé ce matin.

— M. Tréguer a téléphoné déjà deux fois. Il a dit qu'il passerait...

— Et celui-là aussi ! Sacré nom, on ne peut pas me fiche la paix ?

J'ai enfin relevé la tête et je regarde Olga sans aménité. Son visage de vieille agnelle, au teint habituellement fleuri, est passé au pourpre de la confusion. Ses yeux embués sont pleins de muets reproches.

— Vous ne vous sentez pas bien, ce matin, monsieur Robert ?

— J'ai tout de même le droit d'avoir la migraine,

non ? Quelle boîte ! Pas plutôt arrivé et tout le monde me tombe sur le paletot ! On ne sait donc rien faire sans moi, ici ?

J'ai la sensation aiguë de mon injustice. Mes collaborateurs sont d'admirables garçons, d'une habileté et d'un flair merveilleux. Olga est, elle aussi, une femme remarquable, pleine d'expérience, et dont je pourrais difficilement me passer.

— Vous devriez bien dire que l'on me monte un café.

— Tout de suite, monsieur Robert !

Olga s'est retirée, heureuse tout de même d'avoir reçu un ordre. Elle va le transmettre au garçon qui se précipitera au perco du bar à côté. Elle ne manquera pas non plus de dire que le patron, ce matin, est « comme un crin » !

Tant mieux ! On me laissera tranquille. Je pourrai me livrer à la tâche que j'ai projetée. Qui n'a d'ailleurs aucune utilité pour la bonne marche de mon affaire.

J'ouvre l'armoire métallique où se trouvent d'anciens dossiers. Voici celui que je cherche. Il est sous la pile des autres, naturellement ! L'encre de l'inscription, moulée en belle ronde par Mlle Olga, a déjà pris un ton grisâtre. « Affaire Reydel-Allen. »

Je l'ai tiré avec effort. Le voici enfin sur mon bureau où, la sangle enlevée, il laisse glisser des papiers légèrement jaunis, répandant leur odeur fanée de choses révolues.

« Affaire Reydel-Allen. »

Me voici d'un seul coup ramené à cette époque, pas tellement éloignée, où mon père vivait encore et dirigeait l'agence avec moi.

C'est dans son bureau — le mien aujourd'hui — que l'on introduisit un matin un monsieur embarrassé, intimidé, honteux et gêné de la démarche qui l'amenait vers nous. Il avait pris l'adresse de l'agence dans un annuaire. D'une voix mal assurée il se présentait :

— Antoine Reydel, joaillier-bijoutier, rue Demours, aux Ternes...

Mon père le fit asseoir et commença le déblayage. Avec lui, un bonhomme ne pouvait longtemps dissimuler le vrai motif, caché au fin fond de son crâne sous les replis de sa cervelle, et qui le faisait agir.

— Le père Ferrand passe les consciences au peigne fin ! disait-il en se brocardant.

L'image était juste.

M. Reydel fut mis au crible.

Depuis quelque temps, il constatait des fuites dans les tiroirs et les vitrines de la bijouterie. Des perles, des pierres précieuses, montées ou non, se transformaient en vapeurs légères, si bien que leur trace se trouvaient perdues. Pas pour tout le monde, évidemment !

Affaire banale.

M. Reydel avait-il des employés ?

— Heuh... oui... un vieux collaborateur... mais insoupçonnable !

— Bien sûr ! On verra cela tout de même. Des domestiques ?

— Une brave gouvernante, Emilie. Bien incapable de soustraire même un timbre-poste !

— Comme on dit !

Mon père laissa au client un instant de répit, puis il reprit :

— Et... dans la clientèle ? N'y a-t-il pas un quidam, homme ou femme, un peu trop assidu ? Quelqu'un qui hésite, change d'avis, revient pour marchander, et pour lequel on sort beaucoup de plateaux des vitrines ?

— Ma clientèle est choisie, monsieur. Elle se compose de gens distingués, pour la plupart. Certains sont titrés. Je fais d'ailleurs pour eux un travail d'art, créant des modèles...

M. Reydel se lança alors dans la description de ses bijoux, comme quelqu'un qui bifurquerait soudain sur un chemin de traverse.

Je l'observais.

Un doux, un délicat, un minutieux. Le monsieur bien cravaté, avec chapeau et toujours correct. Une âme semée de fleurs bleues, poudrée d'idéal. Il devait fabriquer ses bijoux comme d'autres cisèlent des poèmes. Et si le commerçant en lui s'appliquait à les vendre, l'artiste devait saigner en les voyant partir.

Cependant mon père arrêta enfin cette conférence sur l'art de la joaillerie. Elle ne menait à rien. On perdait du temps.

— Voyons, monsieur. Je suppose que vous n'êtes pas venu de la rue Demours jusqu'à la Chaussée d'Antin pour nous apprendre le métier de bijoutier et nous faire un cours sur les gemmes et les perles ? Vous êtes ici parce que vous avez des soupçons. Vous désirez aussi que l'on fasse les choses le plus discrètement possible.

Sous le teint, naturellement clair et frais, de M. Reydel, montait maintenant une pâleur verte.

Mon père continuait :

— Or, si vous voulez que l'enquête soit efficace et aboutisse à un résultat pratique, il ne faut rien nous cacher. Même si... si vos doutes sont dirigés sur une personne qui vous est chère. Cela arrive, hélas ! Qui sait d'ailleurs si notre action ne vous délivrera pas de ces doutes en découvrant la culpabilité de quelqu'un d'autre ?

La pâleur verte envahissait de plus en plus l'honnête visage de M. Reydel. Il leva sur mon père des yeux pleins de trouble.

— C'est que... l'être que je soupçonne est dangereux. Il possède des pouvoirs occultes et il pourrait se venger.

Tout comme son fils, le père Ferrand ne croyait pas aux histoires de loup-garou. Il plaisanta gentiment :

— Les sorciers n'ont aucun pouvoir sur nous, cher monsieur. Nous sommes coriaces et pas faciles à épater. Alors dites-nous donc le nom de votre faiseur de tours.

Il y eut un silence. M. Reydel, tête basse, nous laissait contempler ses cheveux argentés d'homme coquet. Le débat sous ce crâne devait être plutôt dur. Enfin il se décida dans un souffle :

— Il s'agit de mon gendre, fit-il.

Comment aurais-je pu me douter, à cette minute, que ces mots indiquaient un des plus importants virages de ma propre existence ?

Je termine le café que le garçon est venu placer il y a un moment sur le coin de ma table. Il s'est dépêché de filer comme s'il sortait de la cage d'un rhinocéros. Olga a donné la consigne. On me laisse respectueusement à mon travail.

Est-ce bien « mon travail » que de remonter le cours du temps ? De rejoindre la source d'un destin accompli ? A quoi cela m'avancera-t-il ? Et tout ceci pour un cauchemar ? Car ce ne pouvait être qu'un cauchemar !

Voici mon premier rapport, là, sur ces feuillets. Mon père m'avait chargé de cette enquête :

« ... Bijouterie Reydel. Magasin au rez-de-chaussée d'un immeuble de deux étages qui dut être autrefois un hôtel particulier. M. Reydel habite au premier. Le second sert de réserve. Maison de réputation sérieuse. Beaucoup de goût. Belles collections de pierres. La boutique n'est pas très grande. Elégamment mcublée : guéridons, fauteuils, vitrines. Assez facile d'opérer dans cet espace restreint quand le bijoutier a le dos tourné. Mais il y a les glaces.

« ... J'ai fait aujourd'hui connaissance avec Anne-Marie Reydel. Elle est mariée avec un certain Allen, le gendre douteux. M. Reydel a préféré me présenter comme le fils d'un vieil ami retrouvé et qui lui a rendu visite. Anne-Marie Reydel est extrêmement jolie. Elle ne semble pas être heureuse... »

Et voici la fiche du mari, remplie jour après jour dans sa sécheresse signalétique :

« ... Chandrah Allen. Prénom hindou. Patronyme britannique. Né en Birmanie. Père bonne famille. Officier. Tué accidentellement peu après la naissance de son fils. Mère de sang indien mais d'origine indéfinie. Chandrah élevé en Angleterre par tuteur, frère de son père. Il est indésirable dans plusieurs collèges. Fait des dupes parmi les amis de son oncle. Est bientôt honni par toute la famille. Reçoit à sa majorité l'héritage de son père. Le dissipe au jeu. Disparaît après plusieurs aventures suspectes. Sans doute séjour en Birmanie. On le retrouve dans différents pays d'Europe, où il exerce des métiers vite abandonnés. Enfin, il devient par on ne sait quel détour, courtier en diamants. Il s'y montre habile, entreprenant. Mais on fait des réserves. On le sait joueur. On se méfie. Au moral : beau parleur, charmeur, cynique et menteur. A eu de nombreuses aventures féminines dont il a tiré profit. A épousé la fille de M. Reydel il y a deux ans. Elle avait dix-huit ans... »

La « fille de M. Reydel », dont parlait la fiche, était vite devenue pour moi Anne-Marie. Ces doux prénoms commençaient à s'inscrire avec insistance sur tous les bouts de papier qui tombaient sous mon stylo-bille. Je les déchiffrais jusque dans les volutes de mon tabac !

Nous nous rencontrions assez souvent à la bijouterie. Sans doute lui avais-je plu, car elle me traitait avec une gentille camaraderie. Que savait-elle exactement sur mes relations suivies avec le joaillier ? Soupçonnait-elle mon rôle véritable ? Je croyais voir parfois une interrogation muette dans toute son attitude et même quelque chose d'embarrassé.

Quant à moi...

Non, je n'avais jamais rien vu qui m'eût autant attiré, troublé que cette douce fille aux cheveux éclairés de roux. Un corps harmonieux, bien galbé. Une peau nacrée avec des tons d'ambre rose. Une bouche tendre, mais surtout des yeux incomparables.

Les yeux d'Anne-Marie Reydel m'apparurent comme les bijoux les plus réussis qu'eût fabriqué son joaillier de père ! Saphir au bleu intense, aigue-marine couleur d'eau, émaux à l'éclat brûlant, c'est ainsi qu'ils se transformaient selon les jours et les heures. Parfois aussi la teinte tournait au mauve, prenait la transparence de l'iris ou de l'orchidée. Mais jamais ils ne cessaient d'être limpides et purs. Ce sont des yeux où ne se peut dissimuler aucune ombre.

Lorsque je les vis pour la première fois, je fus frappé de leur expression. C'était indéfinissable. Ils contenaient une résignation douloureuse, ressemblant à celle que l'on surprend chez une bête captive, pâtissant en silence et attendant l'ultime sacrifice. C'étaient aussi des yeux de somnambule...

J'imagine ce bal où elle rencontra Allen. Un bal de corporation, organisé dans les salons d'un palace.

Tournèrent cette nuit-là, au son des orchestres, avec leurs dames, de gros diamantaires, courtiers, tailleurs, orfèvres. Les importants et les moindres. Les joailliers en chambre et ceux, nantis de trente mètres de vitrines dans les arrondissements de luxe. Parmi tout ce monde rutilant, s'était glissé Allen.

Sa minceur distinguée, sa démarche furtive, flexible comme celle d'un guépard, sa chevelure laquée de bleu et son visage énigmatique, firent une impression foudroyante sur les dix-huit printemps de Mlle Reydel.

Un vrai prince des « Mille et Une Nuits », le Chandrah !

Tout à fait réussi, oui ! Une larve ! Un têtard ! Et à ne pas prendre avec des pincettes, même longues comme d'ici à Rangoon ! Parasite écœurant, à classer seulement au bas de l'échelle des créatures vivantes, là où cela grouille fort, dans les marais !

Mais d'où vient qu'aujourd'hui encore je ne peux évoquer cet être sans une sourde rage ? Un besoin de cracher ? De cogner ?

Dire qu'Anne-Marie a pu aimer « ça ». Car elle l'a aimé, le bougre !

Après ce bal ils se revirent. Il la bombarda de fleurs, de livres précieux. Il l'invita à des concerts, à des ballets, à des conférences ésotériques, dans des cercles fermés, ce qui est toujours flatteur pour celui à qui l'on ouvre ! Enfin, il s'occupa d'affaires avec M. Reydel. A son tour, le papa fut séduit, conquis par le côté « pommade de cédrat » du personnage. Il sut l'entourer, le flatter dans sa vanité professionnelle. M. Allen possédait un goût si raffiné en matière de joaillerie ! Il savait disserter, lui, de la magie des pierres et de leurs sortilèges ! Beaucoup mieux, certes, qu'un Robert Ferrand, avec son 42 fillette ! M. Allen n'était-il pas un esthète parfait, sensible au symbolisme des objets, à leurs lignes, à leurs formes ? Enfin, son origine birmane, le mystère dont s'entouraient certaines phases de sa vie, lui conféraient une sorte d'aura, un hermétisme qui intriguait, captivait.

C'est ainsi que le virent l'aimable M. Reydel et sa fille. Et d'autant mieux que l'individu eut l'habileté de ne rien dire de précis dans les contes qu'il leur fit. Tout était suggéré, jamais affirmé. Il laissait travailler les imaginations ! Remontait-il par sa mère jusqu'aux castes les plus nobles de l'Inde ? Pourquoi pas jusqu'à Vichnou en personne ? Avait-il été initié dans les temples sacrés où l'on dévoile à des sujets d'élite les mystères de l'inconnaissable ? Voyez bidon et poudre de perlimpinpin !

Et moi, Ferrand Robert ? Est-ce que jc ne ferais pas mieux de refermer ce dossier ? De l'enfouir à nouveau au fond de l'armoire ? Ou même de l'anéantir ? Il ne sert plus à rien. Que peut-on changer aux événements passés ? A quoi bon retourner la poussière des choses ? C'est pourtant ce que je continue à faire !

M'y revoilà ! A cette époque, M. Reydel dont le moral était encore très atteint par la mort brutale de sa femme, subit presque autant qu'Anne-Marie l'ascendant de Chandrah Allen.

Pour Anne-Marie — bachelière toute fraîche, hésitant encore entre l'Ecole du Louvre ou une licence d'anglais — la rencontre d'Allen fut comme la pierre qui change le cours du ruisseau. Elle aimait pour la première fois, avec un cœur neuf, ébloui par la révélation même de l'amour. Son horizon s'appela Chandrah Allen. Ils se marièrent.

Il y avait bien eu, par-ci par-là, à l'annonce de ce mariage, quelques timides avertissements, certaines réserves polies. Mais tout cela si discret, si « ne nous mêlons de rien » ! Les gens sont de vraies pantoufles !

Et la voici, avec son prince exotique, dans ce joli appartement que M. Reydel leur a acheté et a fait aménager aux environs du Bois. M. Allen ne pouvait pas habiter les Ternes, évidemment, et au-dessus d'une boutique, fût-elle remplie de joyaux !

Anne-Marie brûlait comme une brassée de genêts. Elle en était folle du Chandrah !

Mais là commencèrent les savantes persécutions. Humiliations sadiques, petites tortures mineures, suivies de caresses et de protestations véhémentes :

— Il faut que tu sois ma cire précieuse. Je te pétrirai pour faire de toi la femme exceptionnelle.

Il exerçait une telle emprise sur l'esprit et le cœur de la malheureuse gosse, qu'elle endura, en les excusant, les sévices raffinés auxquels se livrait l'inquiétant personnage. C'était une cigarette traîtreusement appliquée brûlante, sur la peau tendre d'un bras, une lanière fine qui cinglait la nuque et les épaules jusqu'à la fureur. C'était aussi le reptile glissé de force dans une main crispée de répulsion, jusqu'à ce que vienne l'évanouissement.

Chandrah faisait ses délices des larmes et des cris que provoquaient ses actes de tourmenteur chinois. Un moment après, il semblait s'éveiller d'un délire, implorait son pardon, devenait tendre, aimant, humble à faire pitié :

— Il y a en moi un démon. Mais ton amour, Anne-Marie, finira par le vaincre.

Elle le croyait. Elle l'espérait.

Un démon, disait-il ? Oui certes. Le plus exigeant, le plus dévorant de tous : celui du jeu.

En quelques mois, Anne-Marie voyait fondre sa dot et disparaître les jolis meubles de l'appartement. Allen vendait tout, liquidait tout pour se procurer de l'argent.

Alerté, M. Reydel intervint, parla de reprendre sa fille. Chandrah joua la grande scène du mage offensé, parla de pouvoirs secrets détenus par lui. S'il le voulait, il déchaînerait d'affreuses choses sur M. Reydel et sa fille. Un simple attouchement de ses mains au visage, avec une formule magique peut donner la lèpre. Il ferait d'Anne-Marie une lépreuse. Quant à la maison de M. Reydel, elle pourrait bien être la proie de flammes pas faciles à éteindre.

Lorsqu'il proférait ces menaces, Chandrah Allen se composait un visage terrifiant.

— Démoniaque ! avait dit l'impressionnable M. Reydel.

Mais Anne-Marie apaisa son père. Elle voulait garder Chandrah, le sauver malgré lui du mal qui était en lui. Beau prétexte qui a perdu bien des femmes !

Chandrah avait des moments si merveilleux lorsqu'il n'était pas sous l'empire de cette force noire ! Il redevenait le garçon « smart » à la distinction très « vieille Angleterre », dont elle était aveuglément éprise.

Elle accepta une existence précaire. Il fallait tant d'argent à Chandrah ! Après tout, était-ce sa faute s'il perdait si souvent au tapis vert ? La passion qui le dévorait était une fatalité. Il en était la première victime !

Malgré cette abnégation — que l'on pourrait appeler aussi aberration ! — Chandrah délaissa sa femme. Il voyageait pour ses affaires et pour son plaisir. Il devait toujours revenir avec tous les trésors du monde. Mais il revenait très souvent avec une poule dont Anne-Marie devait supporter la présence.

— Je te fais prendre un dur chemin de misère, déclara ce salaud un jour à sa femme. Mais tu verras bientôt qu'il aboutit à de tels sommets que tu ne regretteras pas d'avoir connu toutes les douleurs que je t'inflige. Un jour, Anne-Marie, rien ne nous séparera plus !

« Sans doute m'aime-t-il encore ? » pensait la malheureuse petite idiote.

Cependant, les difficultés s'entassent les unes sur

les autres. Le désordre que crée Chandrah est inextricable. Un jour il vend le bel appartement du Bois.

— Va chez ton père, ordonne-t-il. J'ai besoin d'être libre. La vie bourgeoise que tu voulais me faire mener entre ton salon et ta cuisine m'a fait un tort considérable. Tu m'as diminué. Je dois réagir. Nous nous verrons de temps à autre.

M. Reydel recueille sa fille et commence à parler de divorce. Mais Chandrah ne l'entend pas ainsi. Il ne veut pas perdre de vue la bijouterie, ni la succession éventuelle du bonhomme ! Pas fou le descendant du Brahma ! Il reprend le ton élégiaque. Ecrit des pneus délirants, téléphone pendant des demi-heures :

— Pourquoi ne pas nous rencontrer dans Paris en amoureux ?

Anne-Marie cède à la tentation. Qui sait si elle ne va pas rattraper son bonheur ?

Elle se met à rencontrer son mari au hasard des rendez-vous qu'il lui jette. Elle passe des nuits de larmes et d'espoirs fulgurants. Le lendemain elle règle la note d'hôtel.

Pourtant cette vie l'écœure. Intérieurement elle s'avoue que rien ne ramènera Chandrah à une existence normale. Maintenant elle sent le souffle du danger. Va-t-elle se perdre ? Devenir une folle ou une épave ?

Mais elle n'a pas encore la force de se libérer. Bien au contraire, Chandrah prend de plus en plus d'empire sur elle. Il lui confie un soir, en grand mystère, qu'il fait partie d'une secte redoutable où se pratiquent le magnétisme et l'envoûtement. Avec l'aide des autres affiliés, il pourra bientôt détenir un pouvoir dont on ne peut pas se faire idée. Mais la secte a, paraît-il, de gros besoins financiers ! Chandrah compte sur l'amour d'Anne-Marie pour l'aider à se procurer des ressources. Faute de quoi des calamités inimaginables s'abattraient sur lui. Il courrait un danger pire que la mort.

Avec son masque de dieu asiate, ses yeux implacables d'hypnotiseur, vrillés sur ceux de la pauvre créature, il devient effrayant. Anne-Marie perd tout contrôle. Une peur diffuse lui coule dans les veines. Chandrah dicte ses volontés. Elle obéira !

Voilà pourquoi, un matin, j'ai dû aborder Anne-Marie, sortant de la bijouterie paternelle et serrant convulsivement son sac sous son bras.

J'étais plutôt pâle ! Ma gorge se contractait et mon cœur faisait des bonds de chien fou dans ma poitrine. Jamais je ne m'étais senti aussi embarrassé, aussi malheureux dans l'exercice de mon métier :

— Anne-Marie... Venez avec moi. Il faut que nous causions sérieusement...

Elle a compris. Je l'ai vue vaciller. Je l'ai rattrapée. Je l'ai fait monter dans ma voiture.

Je ne sais plus comment j'ai démarré. la voiture avait l'air de se diriger toute seule, fuyant la ville et ses miasmes, gagnant des espaces aérés où l'on peut respirer jusqu'à l'âme.

Je reconnus les bois de Meudon. Au tournant d'un chemin je stoppai enfin, moteur arrêté. Le silence tombe sur nous comme un manteau de charité.

Anne-Marie ouvrit son sac, prit les bijoux et me les tendit.

— Vous direz à mon père que je ne rentrerai pas.

Elle ouvrit la portière, sauta, courut. Je la rattrapai. Dans ses yeux affolés je lus comme sur un écran. La dégringolade du coteau jusqu'à la Seine... la berge à gagner... le saut à faire !...

Elle s'effondra en sanglots rauques. Je la ramenai à la voiture. Elle ressemblait à une poupée désarticulée. J'avais cependant la certitude que cette tempête de larmes et de hoquets, venait de provoquer la réaction qui sauve, tout comme un orage nettoie le ciel.

Et c'est là, dans ce chemin d'amoureux du dimanche, qu'Anne-Marie me lâcha toute sa misère. Qu'elle laissa couler devant moi cette boue. Elle me raconta tout, expulsa tout.

J'étais soulevé de pitié. Je la serrais contre moi, comme si je venais de la soustraire à un flot fangeux qui l'aurait emportée.

Puis je l'ai ramenée chez son père. C'est moi qui ai remis les pierres volées, improvisant une fable que M. Reydel eut l'air de croire. Je compris à la tristesse de ses yeux qu'il m'était reconnaissant de ne pas avoir insisté.

— Monsieur Robert ?... Monsieur Robert ?

Hein ? Quoi ? Je me fais l'effet de remonter d'une trop longue plongée. La figure de Mlle Olga s'insère timidement dans l'entrebâillement de la porte.

— Excusez-moi, monsieur, mais c'est votre ami Pierre Tréguer qui insiste...

Avant que j'aie pu répondre, il est entré, familier, cordial, avec son parler sans retenue :

— M'engueule pas, Robert. Si je te dérange vire-moi dehors ! Je viens voir si tu t'es occupé de mes salades ? L'aveugle ne sait toujours pas d'où il vient ! Je renifle un drôle de mystère, moi, là-dessous !

Un mystère !

Encore !

CHAPITRE III

— On dirait que tu es dans le flou, ce matin, mon gars Robert !

— Non, va, continue. Je t'écoute. Raconte-moi tes nouveaux exploits, cher terre-neuve, ton dernier sauvetage !

La bonne figure de Tréguer ne perd pas son sourire fleuri, malgré mes sarcasmes. Ce garçon a toujours l'air de mâchonner des fleurettes en écoutant gazouiller les petits oiseaux.

Ce matin, il me dérange. Il me gêne. Je me sens hérissé de défenses sans savoir contre quoi.

Mais Tréguer a repris :

— Ce pauvre type ! Aveugle et amnésique ! Je ne sais pas si tu te rends compte...

— Tu aurais pu t'abstenir de l'installer chez toi ! Il ne te suffit plus de recueillir tous les chats galeux et les chiens cloche-patte de ton 14e arrondissement ! Il faut maintenant que ce soient des aveugles ! Et amnésiques par-dessus le marché !

— Des aveugles ! A t'entendre on dirait que j'en ai ramené une armée ! Si tu avais vu celui-là, les mains tendues au vide, et se cognant, zigzaguant sur la route de l'aérodrome... Il y a des bagnoles, tu sais, qui foncent vers Marignane ! Tu n'aurais pas pu le laisser là, à moins d'être un salaud !

— Je ne suis pas non plus saint Vincent de Paul.

J'aurais peut-être repêché le gars, mais je l'aurais confié à un hôpital.

— Pour qu'on lui fiche un numéro et qu'on l'oublie, comme un pion qui ne va nulle part ? Pour qu'il reste avec sa nuit et la chose qui le bouffe tout vivant ?

— Quelle chose ?

— Je ne sais pas. Mais ça doit être une chose bien horrible ! Pas ordinaire.

— Enfin, te voilà depuis huit jours avec ce type sur les bras ! Je voudrais bien savoir ce qu'en dit Babette ?

— Babette ? Elle le soigne autant que nos piafs apprivoisés. Et puis il n'est pas bien gênant, le pauvre bougre. Il y a de la place dans notre crèche de la rue Dareau ! Il couche sur le divan, en bas, tu sais, là où on répète.

Je hoche la tête en grommelant, puis je garde un silence hostile.

Tréguer se risque à le rompre :

— Comme je te l'avais dit la semaine dernière, nous serions embêtés, Babette et moi, de confier ce malheureux type à un organisme officiel. Il vaudrait mieux essayer de savoir avant...

— Mais pardi ! Rien n'est plus facile ! Tu parles ! Avec un bonhomme qui ne voit pas clair et qui ne se souvient de rien ! C'est du tout cuit !

Je me suis levé pour gagner un des classeurs près de la fenêtre. Tréguer se trompe sur mes intentions.

— Nous t'avions demandé de faire quelques recherches, mon vieux, mais si vraiment cela te dépasse à ce point-là...

Il reçoit une bonne bourrade.

— Assieds-toi, bougre d'âne ! Je cherche le dossier de ton zèbre. J'ai commencé à m'en occuper malgré ce que tu penses de moi, faux frère !

Le dossier n'est pas loin. Il est encore bien mince. Enquête de huit jours. Peu de résultats.

Je reviens à mon bureau. Sur le plateau s'étalent encore les feuillets et les fiches concernant l'affaire Reydel. Une sorte de rage me prend. Je bourre ce dossier, je le ferme, je le sangle, puis, d'une main brusque, je le lance dans l'armoire aux archives. Il n'aurait jamais dû en sortir !

Les yeux de Tréguer ont suivi mes gestes. Il se contente de pousser un petit sifflement significatif.

— Oui... ne fais pas attention, mon vieux. Je suis nerveux ce matin. Le boulot, tu sais... j'en ai plein le crâne... Et puis...

— Et puis l'affaire d'hier soir, chez toi... Hein ?

— Qu'est-ce que tu dis ?

Je viens de me dresser comme si mon fauteuil avait été branché sur une ligne à haute tension.

Mais Tréguer se fait très doux :

— Te fâche pas, grand butor ! Anne-Marie a téléphoné ce matin à la maison. Elle nous a raconté à Babette et à moi... Elle sait que ces choses-là nous intéressent. Elle a même demandé...

— Demandé quoi ?

— Eh bien, que je passe voir son père à la bijouterie pour examiner l'objet avec mon pendule de radiesthésiste.

— Il ne manquait plus que toi pour que le cabanon soit au complet !

— Merci ! Cela t'est sorti du cœur !

Il a un rire jovial. Sa main disparaît dans sa poche pour y saisir l'instrument divinatoire qui lui a valu déjà tant de succès parmi la cohorte des gobe-la-lune ! Le pendule se balance au-dessus de ma tablette, dessine des figures géométriques. Mais Tréguer continue :

— Ton beau-père m'a montré le caillou.

— Une saleté sans valeur !

— Pour la valeur, je n'en sais rien. Mais comme saleté, tu peux le dire ! Ondes très mauvaises ! Plus que mauvaises ! C'en est incommodant ! Et... je me demande pourquoi, mais... ce qu'il y a au fond... au milieu du cristal, tu sais ?

— Bah ! un bouton quelconque.

— Que tu crois ! Eh bien, cela m'a glacé ! Si, je t'assure ! Ma main était froide comme si je l'avais trempée dans la neige !

Est-ce que je vais le foutre à la porte cet idiot ? J'en ai la furieuse envie. Ses yeux me désarment.

— Il ne manquait vraiment plus que toi, avec tes histoires et ton pendule pour que mon beau-père et ma femme tombent en digue-digue !

— Comme le chat !

— Ah ! ils t'ont dit ça aussi ?

— Je suis arrivé pour voir partir le vétérinaire. Le chat n'a pas autre chose, d'après cet homme de science, qu'un choc nerveux.

— Eh ben ! Cela ne va rien arranger ! Je le retiens ce frère-là !

Me voici tout prêt à décrocher le téléphone pour injurier ce vétérinaire. Quel hurluberlu ce type-là ! Anne-Marie et son père ont dû lui raconter les choses de telle manière qu'ils auront influencé son diagnostic ! Mais moi j'en ferai venir un autre, dix autres, tous les autres ! Jusqu'à ce qu'il y en ait un qui lui trouve des vers à ce chat !

Tréguer me considère toujours avec le même regard plein d'une perplexité qui m'irrite. Je ne veux pas suivre le chemin de sa pensée. Je dis non aux questions qu'il soulève. Non !

Seul, un hasard a mis ce bijou entre les mains de mon beau-père. Il ne saurait y avoir nulle part une volonté qui ait déterminé ces faits. Le domaine de l'absurde n'est pas le mien.

Pourtant, je sens, comme si je la touchais, qu'une

présence s'est glissée entre Tréguer et moi. Il évoque, lui aussi, une silhouette, un visage, un sourire énigmatique...

— Ton beau-père ferait bien de se débarrasser de ce truc douteux et... toi de savoir d'où il est venu.

Je réagis violemment parce que la phrase m'a frappé là où il fallait :

— Comme si j'avais le temps de m'occuper de pareilles...

Le gros mot a éclaté dans la pièce comme un coup de canon anti-grêle. Cela change l'atmosphère :

— Bon ! Ne te fâche pas, Robert.

— Alors, parlons d'autre chose ! Raconte un peu ta tournée, tiens ! Tu as été content ? Ils ont marché les Espagnols, les Italiens, les Monégasques ?...

Je me force à voir Tréguer revêtu du costume burlesque avec lequel il présente son numéro de music-hall. Une hindoustanerie à la gomme ! Peut-on prendre le turban au sérieux sur cette bouille ronde de Breton ? Rien n'est sérieux, d'ailleurs, dans ce qu'il fait sous le nom de fakir Omar Akadian ! Le sketch qu'il a monté avec sa partenaire Babette, n'est qu'une succession de gags désopilants. Il joue le prestidigitateur qui rate ses tours, le fakir ahuri qui commet bourde sur bourde. Les gens pleurent de rire. Il a beaucoup plus de succès que lorsqu'il faisait les choses au sérieux, avec une habileté étourdissante, mais qui ne portait pas. Il lui manquait le physique. Celui que le public attend. La gueule de carême du type qui se tape du verre pilé à tous les repas. Rien qu'à regarder mon Tréguer, on voit tout de suite qu'il est plutôt pour le navarin aux pommes et les crêpes de Douarnenez !

Cela, malgré ses prétentions à l'ésotérisme.

Tréguer, lancé sur la tournée, raconte : Barcelone... Séville... Madrid... Naples... Rome... Milan...

On dirait qu'un flot de soleil vient d'entrer dans mon bureau, malgré la grisaille des vitres. Cela remet les idées en place.

— Oui, mon vieux. Je peux dire que j'ai fait un gros boum ! Si cela continue, mon engagement pour l'Olympia l'hiver prochain est dans la poche !

— Je suis content pour toi, Pierre ! Tu n'auras pas volé ce grand lancement !

Nous échangeons le bon coup d'œil de deux copains qui, depuis le régiment, ne se sont jamais lâchés. Tréguer connaît tout de ma vie. Je connais tout de la sienne.

Simultanément je l'ai suivi dans ses divers avatars. Tréguer camelot, plaçant des allume-gaz. Tréguer garçon coiffeur. Tréguer cycliste à *France-Soir*. Tréguer, enfin, illusionniste pour fêtes foraines. C'est là qu'il rencontra son extralucide, la mère Tomasina, une vieille Sicilienne, qu'il se toqua de sciences occultes et se mit à croire à ses dons !

Mais le voilà qui remonte de Gênes à Monte-Carlo. Nous allons filer sur Nice, puis Marseille et nous retrouverons l'aveugle, hélas !

Cela ne rate pas :

— Hé ! oui, c'est en revenant de Marignane où nous avions accompagné un copain, que Babette et moi avons découvert le fameux type.

— Parlons-en de ton type.

Je me sens détendu. Le bavardage de Tréguer sur la tournée, les casinos, tous ces endroits de divertissement, a chassé les ombres envahissantes. L'action stimulante du café commence peut-être aussi à me rendre mon équilibre habituel ?

— Voyons. Tu as trouvé ce gars sur la route. Il ne sait pas son nom, ni d'où il vient. Tu l'as recueilli chez toi, sans aviser personne, tête de mule. Et tu voudrais connaître le passé, le présent et l'avenir de ton particulier. Pour l'avenir, je te l'abandonne. Tu

lui feras ça à la boule de cristal. Quant au passé...
hum !... Il s'agit de chercher évidemment.

Je relis la fiche posée devant moi :

— ... Nationalité probable ? Française. Le
milieu ? Vague. Plutôt supérieur. Il s'exprime cor-
rectement... Signe particulier ? Aveugle. Depuis
quand ? Mystère !

— Mystère ! Tu l'as dit. Il y a sur cet être quelque
chose de si sombre... de si effroyable !... Mais quoi ?
J'ai bien essayé à l'aide du pendule, et aussi avec la
boule de cristal qui te fait rire, de capter des
intuitions, mais... elles sont étranges, lointaines...
et...

— Et tu as préféré venir voir ton copain Ferrand
Robert, avec ses gros pieds et son œil de lynx !

— Ah ! si la mère Tomasina était encore de ce
monde, je suis bien sûr qu'elle m'aurait démêlé tout
ça ! Elle possédait une telle puissance dans le
domaine astral !

— Fais tourner une table et interroge son esprit !

— Ne rigole pas ! Son esprit, je le sens souvent
autour de moi ! Il m'inspire.

— Alors est-ce que je continue l'enquête ? Je ne
voudrais pas marcher dans les plates-bandes de
Mme Tomasina !

— Abruti ! Tu lui plaisais avec ta grande dégaine !
Elle avait même prédit...

— Revenons à ton aveugle. L'as-tu fait parler ?

— Il parle tout seul. Par crises. C'est comme s'il
laissait tomber des images. Il dit... « horizon vide...
immensité blanche... » Cela revient comme un
refrain obsédant. Horizon vide ! Immensité blanche.
Il y a aussi : « ciel turquoise »... « ciel de soie »...

— Donc il a vu. Et il apprécie les couleurs et les
formes...

Consciencieusement, je transcris sur la fiche.

— Il y a aussi l'oiseau, dit Tréguer.

— Quel oiseau ?

— Un oiseau menaçant, avec un bec meurtrier, qui doit s'abattre. Et là le gars entre en convulsion. Il se tord, il se débat.

Tréguer me communique sa pitié. Oui, cela doit être pénible. Mais je poursuis :

— Et les yeux ? Qu'a-t-il au juste ? Tu ne crois pas qu'un examen par un oculiste nous apporterait un renseignement ? Il y a bien des formes de cécité.

Tréguer ne répond pas tout de suite. Ses traits se contractent.

— Ses yeux, mon vieux... J'ai voulu les regarder. Mais sous ses paupières... il n'y a que le vide.

— Pourtant les globes...

— Pas de globes, Robert. Rien ! Des trous !

Puis il ajoute, pesant sur les mots :

— Ça n'a pas dû se faire tout seul !

C'est à mon tour de rester muet. J'éprouve à même la peau une irritation insupportable et dont je veux me débarrasser.

J'empoigne alors le dossier et d'un geste sec, je l'ouvre devant Tréguer :

— Sortons des suppositions qui ne mènent à rien, si tu veux bien ! Voilà ce que, pratiquement, nous avons pu rassembler ici pour cette affaire.

Disant cela, j'ai pris volontairement le ton neutre qui m'est habituel avec les clients de mon agence.

— Tout d'abord on m'a communiqué la liste de tous les cas de disparition, signalés dans la région de Marseille, entre un mois et six. Résultat : zéro. Ce sont surtout des femmes qui se sont évaporées durant cette période dernière. Bon. Maintenant, le fait que tu aies rencontré ton gars à Marseille ne prouve pas qu'il soit du coin. Il pouvait venir d'ailleurs.

— C'est très possible.

— C'est même certain. J'ai moi-même téléphoné

à un type de l'aérodrome. Il nous a déjà renseignés pour d'autres histoires. Il faut bien avoir des yeux un peu partout, hein ? Or, on se souvient de ton client. On l'a vu descendre d'un avion. Mais là tout se brouille. On n'a pas pu, ou pas voulu, dire de quel avion il s'agissait, ni d'où il venait. J'ai presque la certitude que ton bonhomme était un colis clandestin. En la bouclant on a voulu éviter des embêtements au pilote qui s'en était chargé.

La main de Tréguer frappe de petits coups sur le coin de ma table. Il me regarde de ses yeux au gris bleuâtre comme la mer de son patelin.

— Tout de même, c'est déjà épatant, Robert, que tu aies pu apprendre tout ça !

— Tu es bien gentil ! Moi je trouve que c'est plutôt mince ! J'aurais voulu en dire davantage. On va tâcher de voir par les consulats. Mais le monde est grand, mon pauvre vieux. Nous risquons de mettre un temps astronomique...

— Autant dire que c'est enterré, quoi !

Je reste sans parole devant mon copain tout déconfit. Il se lève pesamment.

Va-t-il, comme à son habitude, faire sortir en souriant de ses manches mon stylo, un coupe-papier, mes cigarettes et autres objets ? Blague classique entre nous et qu'à chaque coup il réussit.

Non. Le prestidigitateur n'a pas opéré aujourd'hui. Tréguer n'est occupé que de son aveugle.

— Je suis sûr, Robert, que si tu voyais ce type, tu ne pourrais pas t'empêcher de t'intéresser à son cas. Rien qu'en le regardant et sans qu'il parle, on sent que quelque chose hurle en lui !

— Ecoute, vieux, si cela peut te faire plaisir, je passerai chez toi. Je le verrai. D'ailleurs, je prendrai ses empreintes.

— Ah ! oui, tu as une bonne idée.

Nous sommes au milieu de la pièce. De la fenêtre

fermée parvient le bruit assourdi, mais ininterrompu, des voitures qui filent entre les deux barrages du carrefour Haussmann et de la Trinité. Bruit familier qui me donne en ce moment une impression agréable d'existence bien réglée d'où l'insolite est banni.

Je tiens la main fine et un peu grassouillette de Tréguer. Il a ce que l'on appelle « des mains de prélat », cet animal. Nous serrons en même temps :

— Au revoir, vieux. Compte sur ma visite demain dans la matinée.

— Merci, Robert. D'ici là je vais essayer de percer un peu du voile. Par des moyens qui te font rigoler, toi, grand blagueur ! Au besoin j'irai consulter un type plus calé que moi en occultisme.

— Tu ferais mieux de consulter un toubib ! Un examen médical pourrait donner des indices.

— J'y penserai.

Il est dans le couloir. Il va vers la porte. Mais il se ravise et revient. J'esquisse un geste d'humeur. Je sais ce qu'il va me chuchoter d'un ton inspiré :

— Toi, pense à... ce que je t'ai dit... pour le bijou !

Le voilà parti. Ouf ! On me demande au téléphone. Une compagnie d'assurances qui vient d'être filoutée... etc.

A la bonne heure ! Je me retrouve avec allégresse dans le monde sans mystère des escrocs de tout poil !

Mon beau-père m'a vu à travers la vitrine du magasin. Je sais qu'il respectera la consigne que je lui ai donnée tout à l'heure.

Ne rien conclure avec le vendeur du caillou. Lui dire qu'il doit lui-même faire examiner la pierre et demander qu'on la lui laisse jusqu'au lendemain.

Je me suis posté à quelques mètres de la bijouterie. Ma montre marque seize heures. J'allume une cigarette en tournant le dos.

Le timbre de la porte jette sa note claire. Quelqu'un sort du magasin. La voix de mon beau-père a lancé bien haut, comme convenu :

— Alors, entendu pour demain.

Bon. A toi de jouer, Robert !

Je n'ai plus qu'à filer le quidam. Un très jeune, on dirait. Il est à pied. Je vais laisser ma voiture.

La silhouette nonchalante ne se presse pas. Blouson pied-de-poule, pantalon pétrole assez collant. Tête nue aux cheveux lisses et sombres. Quel âge cela peut-il représenter ? De quinze à dix-huit ans, pas davantage.

Je viens d'entrevoir le visage à la faveur d'une glace de la boutique. Longs yeux en amande, nez régulier, bouche dessinée où traîne un sourire louche. Quelque chose d'équivoque dans la démarche.

Bien. Le voilà photographié. Je ne le perdrai pas.

Tout de même ! Je renâcle ! Faire ce travail de débutant ! Si on savait ça à l'agence !

Le client n'a pas l'air de vouloir prendre le métro. Ni le bus, là, à l'arrêt de Pleyel.

Un taxi ? Il n'y en a qu'un à la station de l'avenue Hoche. Je serais contré s'il le prenait.

Eh bien non ! Il s'en va, le nez au vent, et descend le faubourg. Peut-être habite-t-il dans le coin ?

J'ai une fois de plus l'impression de perdre mon temps. Je me demande ce que cela nous donnera de savoir où perche ce gamin ? Et pour identifier quoi ? Le type ? C'est sans intérêt. Connaître la provenance de la pierre qu'il veut vendre ?

Sans doute un bijou volé. Quelle affaire ! Il n'y a pas de quoi mobiliser le patron — soi-même ! — de l'Agence Ferrand et Fils !

Nous aurions dû lui rendre son cabochon à ce môme et l'envoyer se faire pendre ailleurs.

— *... Ton beau-père ferait bien de se débarrasser de ce truc douteux et... toi de savoir d'où il est venu.*

Toujours cette phrase de Tréguer ! Elle m'est entrée dans l'oreille comme ces insectes exaspérants que l'on n'arrive pas à tuer.

Ouis mais Tréguer est un doux illuminé, qui croit aux conjurations, aux sortilèges, aux fluides dirigés et autres histoires de même farine.

Il a pris très au sérieux les hallucinations d'Anne-Marie, la crise de Tigou, l'émoi de mon beau-père avec sa pierre envoûtée, qui jette des sorts sur les vitrines et les casseroles de lait ! Ne m'a-t-il pas raconté que ce cabochon lui a glacé la main ?

Sacré fakir Omar !

Oui mais... Et moi ! Ai-je entendu, oui ou non, des chuchotements mêlés à l'obscurité de la chambre ?

Illusion ! J'étais encore dans une demi-inconscience. L'émotion d'Anne-Marie m'avait troublé. Je n'ai rien entendu du tout ! J'aimerais mieux qu'on m'écrase plutôt que d'avouer que j'ai pu entendre quelque chose. Et surtout pas à Tréguer ! Encore moins à Anne-Marie.

Il faut que j'arrive à prouver à tout ce monde-là que ce caillou n'a rien de mystérieux, et que le hasard seul l'a fait échouer à la bijouterie Reydel.

Pour cela j'ai délaissé toutes les affaires importantes de mon agence et je déambule comme un imbécile derrière ce gamin drôlet.

Nous descendons toujours le faubourg... Une vraie promenade !

Il s'est arrêté devant une vitrine de coiffeur. Sans doute pour se regarder car il vise la glace.

Décidément je n'aime pas l'expression de ce gosse. Tout y est ambigu.

Il reprend sa marche et moi la mienne.

Pourquoi ai-je soudain dans l'idée qu'il m'a découvert et qu'il m'emmène, tel un bestiau passif au bout d'une longe, vers un mystérieux rendez-vous ?

Allons bon ! Vais-je donner dans les fumées, moi aussi ?

Rien dans l'attitude de ce môme ne peut étayer mes soupçons. Il est certainement bien loin de se savoir suivi. Par un des plus grands limiers de Paris, en plus !

Allez ! je vais abandonner cette filoche stupide, sur les pas d'un gamin sans aucune importance. Tâchons de pêcher un taxi qui me ramènera à mes affaires, à la préparation de cette enquête à la douane de Hambourg, où je dois partir la semaine prochaine. Grosse histoire. Gros bénéfices pour nous si nous réussissons à décapiter une bande de gros trafiquants, un peu trop portés sur les gros lingots !

... « *et toi de savoir d'où il est venu* ».

Ça recommence !

A qui pensait Tréguer ce matin en me disant ces mots ? A qui pensait Anne-Marie hier soir et cette nuit ? A qui ai-je pensé moi-même ?

C'est curieux comme la silhouette furtive de ce gamin m'en rappelle une autre. Souple, féline, au pas feutré...

Cinq ans déjà !

J'étais au seuil de mon bonheur. Les confidences que m'avait faites Anne-Marie, semblaient l'avoir désintoxiquée. Elle me regardait avec des yeux tout neufs. De jour en jour je sentais que je lui devenais plus indispensable, plus cher. Je fus son ami, son refuge, son air respirable. C'est elle la première qui, un jour, m'offrit sa bouche. Je m'en retrouvai bouleversé, titubant comme si un carillon venait d'éclater dans ma tête ! Il y avait pourtant un tout petit son fêlé, quelque chose qui sonnait mal.

Une sale petite question que je me posais au fin fond de moi-même :

Anne-Marie m'aimerait-elle comme elle avait aimé Chandrah ? J'aurais donné vingt ans de ma vie pour lui arracher cet amour-là du cœur. Et ma vie entière pour qu'il n'eût jamais existé !

Jamais je n'avais mis autant d'acharnement, autant d'ardeur à réunir des preuves pour une affaire de divorce ! Il fallait que je parvienne à lui présenter l'individu dans toute son ignominie puante, afin de l'en voir dégoûtée irrémédiablement.

Mais peut-on effacer les traces que laisse un amour aussi total, aussi passionné ? La chair n'en est-elle pas pour toujours imprégnée ? Le cœur n'en retient-il pas quelques vibrations secrètes !

Drôle de bonhomme, mon Robert ! Il t'aura fallu cinq ans, et cette petite promenade stupide, pour que tu avoues la présence de cette épine qui te remue dans le cœur !

Le film continue. J'en revois l'ultime scène. Le tripot clandestin, au fond d'une cour. On traversait d'abord l'arrière-salle d'un bistrot minable.

Je piquai mon Chandrah au moment où il allait entrer. Je le ceinturai.

Il avait des muscles allongés, souples comme des ressorts d'acier, ployants, se dérobant et pleins de traîtrises. Mais mon blindage à moi ne s'entame pas facilement. Du chromé, du lourd. Une vraie machine à tamponner les sagouins. Il comprit vite qu'il devait céder et il rampa.

Il signa la déclaration par laquelle il acceptait tout, reconnaissait tout. Anne-Marie était libre !

Quand je pris le papier pour l'enfouir fébrilement au fond de ma poche, Allen fixa sur moi un regard aussi noir que du bitume encore fumant.

— Ce magnifique exploit ne servira à rien, cher monsieur Ferrand. Pas plus que votre papier et le jugement qui va s'ensuivre. Je reprendrai Anne-Marie un jour ou l'autre. Elle est à moi. Ma marque magique est à même sa chair. Oui ! Bien gravée ! A la tombée de l'épaule droite.

Ma semelle lui appliqua ma marque, à moi ! Et il dut la sentir durement, car, après avoir été projeté à quelques pas et s'être rattrapé au mur visqueux de la salle, il se retourna, les traits révulsés d'humiliation et de haine.

A la tombée de l'épaule droite ! Une petite estampille, en effet, à peine plus grosse qu'une piécette. La chair dut grésiller quand on l'appliqua.

Anne-Marie a toujours ignoré que je connaissais l'origine de cette marque.

Mais elle :

— Tu regardes cette brûlure ! On m'a fait cela quand j'étais enfant. En me soignant.

Pourquoi a-t-elle menti ? Par pudeur ? Humiliation ? Crainte de mes réactions ?

Ne serait-ce pas plutôt qu'elle tient à garder en secret le seul témoignage vivant qui lui reste de cet amour maudit, que peut-être elle éprouve encore ?

Et pourtant elle s'est donnée à moi sans restriction. Nous ne formons qu'un être. Son corps à palpité, haleté sous mes caresses. J'ai dévoré cette chair de baisers, savants ou fougueux. Mais mes lèvres n'ont jamais pu se poser à cet endroit de l'épaule, où la peau satinée est meurtrie pour toujours. Une barrière invisible, qui n'est peut-être qu'en moi, m'empêche d'approcher ce petit cercle livide.

Une nuit qu'elle dormait, j'ai regardé avec une loupe. Et j'ai vu ! Au milieu de l'anneau se détachait nettement quelque chose. Une forme. Celle d'une patte aux griffes acérées.

Devant cela je me suis senti aussi dérisoire qu'un caillou !

Hé ! mais je rêve ? Où est mon type ? Je vais l'avoir laissé filer ! Triple andouille ! Ferrand Robert, tu n'es plus bon qu'à aller débiter du roudoudou au mètre !

N'est-ce pas lui, là-bas, cette tache verte et grise ? Si ! Il traverse sagement aux clous. Le feu vert va se rallumer. Vite ! Fonçons !

Ah ! là là !... si je les comprends les noms d'animaux que me lance le mécanicien du bus ! Il a tout de même de bons réflexes, le gars !

Voilà mon môme là-bas, à trente mètres dans la rue Washington. Je suis décidé maintenant à ne plus me laisser distraire. J'adopte l'état d'esprit du chien de chasse qui va au ras du sol.

Le gamin accélère. Nous débouchons aux Champs-Elysées. Du pneu partout ! Sur la chaussée, sur les trottoirs ! Des remous de pigeons. Et puis des gens qui se faufilent entre tout ça.

Barrage. Traversée. L'avenue George-V nous accueille. Le porche de l'hôtel du même nom avale mon loustic. Je le vois qui traverse le hall pour gagner l'ascenseur.

Est-ce le terme de ma course ?

Je suis bien avec « la réception ». J'ai eu quelques histoires à débrouiller dans le secteur.

On m'accueille d'un sourire. Je contourne un Américain massif et j'approche.

— Ça va, monsieur Ferrand ? En balade dans nos parages ?

— Comme vous voyez ! Dites-moi donc : le jeune éphèbe qui a pris l'ascenseur, là ?... Est-il de la maison ?

— Non. Il fait partie de la suite qui accompagne M. Dawal, un client qui vient d'Iran.

— Oriental, ce M. Dawal ?

— Beuh... on s'y perd. Cocktail de Turc, d'Iranien, de Circassien, Libanais, Arménien, etc. Je vous en passe !

— Jeune ! Une trentaine d'années !

Je ne questionne plus, j'affirme. Une brusque rage me gonfle. Mais la réponse vient, déroutante :

— Jeune, M. Dawal ? Vous n'y êtes pas ! Il est vieux. Déplumé ! On ne peut pas lui donner d'âge. Il en a trop !

L'homme se met à rire, heureux de son mot. Puis obligeamment il continue :

— C'est un gros ponte. Un magnat. Il possède des domaines, des mines par là-bas !... Solide compte en banque, le monsieur ! Par ailleurs il est très doux. Fragile. Frileux. Ah ! Il a aussi une manie : celle de balader des cabochons de cristal dans ses poches !

— Des cabochons ? Cela a une valeur ?

— Très grande, d'après lui !

— Bon. Pourrait-on le voir, votre nabab ?

— Je vais téléphoner à l'appartement.

Au bout de quelques instants nous avons la réponse :

— M. Dawal n'est pas visible à cette heure-ci. Mais il vous recevra volontiers demain. Vers midi.

Parfait ! Ainsi je pourrai lui rapporter son trésor !

Maintenant je me sens léger comme un chamois ! Délivré d'un poids que je traînais bêtement depuis ce matin.

Ce bon vieux M. Dawal ! Je serai content de faire sa connaissance ! Tout déplumé ! C'est magnifique !

Qu'est-ce que j'avais été imaginer, moi ? Chandrah Allen se manifestant par le truchement de ce cabochon baroque ? Dans quel but ? Est-il seulement encore en vie, Chandrah Allen ? Les existences aventureuses comme la sienne sont souvent brèves. En tout cas, nous ne l'intéressons plus depuis longtemps !

Ouf !

Jamais je n'ai trouvé l'Arc de l'Etoile aussi bien
fichu ! Eloquent dans son silence de pierre ! Je suis
fier de le voir en tournant le coin de l'avenue.
Dommage que je n'aie rien à lancer à ces pauvres
pigeons ! Demain j'apporterai une croûte de pain
dans ma poche !

On va bien rigoler tout à l'heure ! Je m'entends
déjà déclarer à mon beau-père et à ma femme :

— Votre fabuleux cabochon ? Il a été volé à un
certain M. Dawal, vieil original richissime, qui
descend au *George V* quand il vient traiter ses
affaires à Paris. Quant à la magie et autre pouvoir
mystérieux, vous pouvez me la copier ! Le bijou
n'est pas plus maléficié qu'un bouton de culotte !

Enquête terminée.

CHAPITRE IV

Anne-Marie ne m'a pas semblé aussi rassurée, aussi délivrée que je l'espérais. L'existence d'un M. Dawal, possesseur de ce bijou baroque lui a plutôt causé une déception.

C'est du moins ce que j'ai cru comprendre à son attitude embarrassée, lointaine.

Mais je me fais peut-être des idées ?

Moi qui ai l'esprit aussi peu porté aux vapeurs qu'une règle à calcul, je me mettrais facilement à divaguer lorsqu'il s'agit du moindre reflet de Chandrah Allen !

L'affaire sera classée à midi. Pour l'instant tenons les promesses de l'amitié.

J'ai tous les feux rouges contre moi ce matin ! Voici tout de même les avenues à courant d'air de ce provincial quatorzième.

La cour, toujours mal pavée, dans la vieille rue Dareau, me conduit à la maison de Pierre Tréguer.

Tréguer, citoyen de Montrouge, funambule, magicien et aussi providence de tout ce qui, dans le coin, vit en marge des lois et des ordonnances préfectorales ! Chiens errants, gamins, lâchés, clochards, colporteurs à la sauvette, pasticheurs et frimeurs !

Qui, dans ce petit monde pittoresque, bohème, ne

connaît pas le bon fakir Omar, né natif de Pont-Aven ?

J'aperçois le toit de vieilles tuiles qui coiffe le premier étage, puis la bâtisse elle-même, décrépie, flanquée de guingois, à l'ombre d'un platane étique. Une longue baraque en bois est accolée à un des murs. Le « studio des artistes », comme l'appelle Pierre avec un respect gouailleur.

La porte du studio n'ouvre-t-elle pas sur le royaume de la frime ? Avant d'y pénétrer je perçois déjà l'odeur très particulière des accessoires et des costumes de scène, respirée à froid. Poussière, colle, poudre de riz, relents de tabac...

Les oripeaux du fakir Omar et de sa partenaire, se balancent sur des cintres accrochés à un bout de corde. Un peu partout on se cogne dans « le matériel ». Sarcophages de carton, violemment décorés, où Babette s'enferme, planche à clous pour la peau du fakir ! Ils sont en caoutchouc ! Chapeau à triple fond, nez postiches, fausse barbe, tablette où l'on dépose les jeux de cartes truqués, la cage des colombes, la carafe magique et la roue du destin ! Là s'élaborent les sketches bouffons, les tours de prestidigitation que le fakir feint de rater pour terminer en feu d'artifice.

Décor burlesque, auquel déjà je souris.

Mais ce matin tout cela a disparu.

A mon entrée je n'ai vu qu'un visage. L'expression en est si tragique, si sombre, qu'elle étend son ombre à tout ce qui l'entoure. Les pauvres objets clinquants paraissent saugrenus, déplacés. Leur aspect même devient gênant.

Tréguer et Babette m'ont accueilli en chuchotant, comme devant un cercueil. Moi, je me suis arrêté sans pouvoir faire un pas de plus.

Quel malheur sans nom a bien pu sculpter cette face ? Mes yeux ne peuvent se détacher des paupières fripées, dont la peau flasque se creuse sur du vide.

Tréguer m'attire vers l'aveugle, puis il le prévient doucement.

— Ecoute, gars. Voilà mon copain Robert, dont je t'ai parlé. Tu peux avoir confiance. Lui et moi c'est du même. Dis tout ce que tu peux. Il va essayer de te remettre dans ton circuit.

— Ça sera difficile !... J'ai perdu la mémoire... mon nom... et la lumière... Je ne sais même pas pourquoi !

La voix est mate, sans chaleur. Elle arrive de très loin. D'un lointain désolé.

J'ai promis à Tréguer et je poursuis :

— Ainsi votre mémoire ne va pas au-delà du jour où mon ami vous a découvert sur la route de Marignane ?

— Non. Enfin... je...

— Vous souvenez-vous de l'avion ? Vous étiez à bord d'un avion. De cela nous sommes sûrs.

— Un avion... Oui ! Des gens se sont chargés de moi. Je crois même que... qu'il a dû y avoir plusieurs avions...

— Et avant les avions ? Des trains ? Un bateau ?

— Le train, non. Le bateau ? Je retrouve une sorte de balancement... Mais cela ne venait pas d'un bateau ! Il y avait... une... un grand animal...

Il cherche. Il a l'air perdu dans un trou profond. L'impression est pénible. J'en ressens une gêne physique.

Mais la dernière phrase a fait naître une image. Est-ce que ça ne serait pas un méhari ?

Tréguer saute sur le mot :

— Un méhari ? Un chameau ? Alors il viendrait d'Afrique ? Ou d'Arabie ?

Je reprends, à l'intention de l'aveugle, pesant sur les mots :

— Un chameau ! Une caravane ! Hein ?... Une caravane !

Il a eu une crispation, comme si le mot éveillait un écho. Et puis rien n'a accroché. L'homme a laissé aller sa tête sur le bord de la table, les bras pendant de chaque côté de son corps.

Comment vais-je avancer dans ce cirage ?

— Tu prends ses empreintes ? demande Tréguer qui ne veut pas se laisser démonter.

Il m'apporte un encreur, un morceau de papier.

Moi je veux bien ! Je communiquerai la chose à un de mes copains du Quai pour qu'il fasse chercher aux sommiers. Mais je doute fort qu'on décroche la timbale.

J'examine la main de l'individu. Elle est longue, avec des doigts déliés. Pas de callosités. La peau est fine. S'il exerçait un métier manuel cela devait être dans le minutieux, le précis.

Une idée me vient. Je demande :

— Voulez-vous esquisser des gestes avec vos mains ? Vous savez sans doute qu'un mouvement réflexe peut se produire parfois sans que le cerveau en soit conscient ? Alors faites donc marcher vos mains, comme si vous aviez une tâche à accomplir.

Il s'est redressé sur son fauteuil, plein de bonne volonté. Ses mains hésitent, cherchent un appui.

— Non ! Pas cela. Ceci est votre geste d'infirme. Et j'ai l'impression qu'il est très nouveau. Mais vos mains ont fait d'autres gestes. Vous avez accompli des travaux dans votre vie. Eh bien je vous dis : travaillez !

Des gouttelettes de sueur apparaissent sur le front blême. L'homme se concentre.

Tréguer et sa femme retiennent leur respiration. Je suis moi-même tendu, à crier. Et je crie :

— Travaillez ! Travaillez ! Travaillez !

Les mains ont eu quelques soubresauts, puis la

droite se détache, s'élève. Les trois premiers doigts s'arrondissent sur un objet qu'ils ont l'air de tenir et de guider. Outil ? Instrument ? Lentement, légèrement, la main glisse de haut en bas, de bas en haut, traçant sur le vide des formes, des lignes. L'autre, posée sur le genou gauche de l'homme, a l'air de maintenir un objet.

L'aveugle souffle, halète. Un râle gronde au fond de sa gorge. L'effort est trop grand. Il n'en peut plus !

J'ai une impression aiguë. Je lance :

— Du rouge ! De l'indigo ! Du vert !... Du bistre !

— Bon Dieu ! murmure Tréguer bouleversé. Ce pourrait être un peintre ?

Mais l'aveugle ne réagit plus. Il retourne à ses hantises :

— Blanc !... Immensité blanche... Le vent est blanc aussi... !

Je jette au hasard :

— La neige ?

Tréguer et sa femme continuent :

— La glace ?... La banquise ?

Nous avons l'air de nous attaquer à un mur ! A grands coups de pics !

Il a répondu :

— Le sel !

Découragée, Babette abandonne. Elle va s'asseoir un peu plus loin sur le coin du divan.

— Voyons, ai-je dit. Le sel... l'immensité... et le vent ! Cela s'interprète.

Tréguer bondit.

— Tu as raison ! Pardi ! La mer !

Il a claironné comme si nous tenions la clé du problème. Je le vois se précipiter vers un meuble qu'il ouvre. Il en sort une carte géographique qu'il étale sur la table.

— Je vais voir si je retrouve ses ondes quelque part !

Déjà il a saisi son pendule. Je ricane :

— Des ondes dans les océans du globe ? Il y en a beaucoup, tu sais.

Babette intervient :

— Ne fais pas perdre son temps à Robert. Tu sais bien qu'il est réfractaire à nos théories. Nous chercherons ça en dehors de lui.

Cette digression m'a éloigné de l'aveugle. J'avoue que ce personnage me cause un véritable malaise. Est-ce l'excès de son malheur ? Sa présence est angoissante. Elle dégage du noir, comme ces calmars qui lancent leur encre et rendent l'eau sinistre. Je me sens étreint, oppressé. J'ai hâte d'en finir.

Mais le voici qui s'agite à nouveau. Ses mains repoussent on ne sait quoi de menaçant. Il marmonne :

— Il est là !... Il est venu jusqu'ici !... Je sens qu'il est là !... Prenez garde !... Ah ! prenez garde !

Nous l'entourons. Tréguer lui tapote doucement l'épaule.

— Allons, gars ! Calme-toi. Nous sommes ici entre copains. Tu n'as rien à craindre.

Mais j'interviens :

— Laisse-le dire.

L'homme a un recul, comme si mon voisinage lui était insupportable. Il se contracte, met les mains devant ses yeux morts.

— Il regarde ! Vous ne le voyez donc pas vous autres ? Mais c'est hallucinant toutes ces prunelles ! Toutes ces prunelles qui regardent ! Tous ces regards qui crient !

— Mais où ? Mais qui ? interroge Babette de sa bonne voix apitoyée. Dites-nous qui regarde ainsi ? Qui ?

Il a répondu à voix basse :

— Un mur !

Nous sommes déroutés. J'en profite pour placer le conseil que je tiens en réserve depuis mon arrivée :

— Mes petits enfants, c'est trop fort pour nous ! Encore une fois, mon vieux Pierre, je te dis que la chose relève des toubibs. Un traumatisme a provoqué l'amnésie. Pas de doute là-dessus. Mais quel genre de traumatisme ? Là, nous risquons de nager longtemps. Cet homme a besoin de soins précis. Confie-le à un hôpital. Cela ne t'empêchera pas, toi et Babette, de veiller sur lui. Il y a les visites, que diable ! De mon côté, je vais m'occuper des empreintes. Au besoin j'en dirai quelques mots à Raymond...

— Raymond ! Qui est à Interpol ?

— Dame !

— Parce que tu crois que le gars vient de loin ?

— Je ne crois rien, mon vieux ! Il faut toujours se garder de croire dans ces occasions-là, parce que l'on croit souvent à côté. Mieux vaut essayer de pêcher par-ci, par-là, de petites certitudes. Je suis modeste, moi !

L'atmosphère pèse des tonnes dans le « studio des artistes ». J'ai de plus en plus envie de me sauver. Jamais, depuis l'affaire d'Anne-Marie, une enquête ne m'a été aussi désagréable, aussi odieuse. Et pourquoi mêler la pensée d'Anne-Marie à tout cela ? Je la repousse farouchement, cette pensée, comme si les choses d'ici pouvaient nous menacer par on ne sait quelle osmose.

Il est temps que je m'en aille trouver M. Dawal à son hôtel. Au fond de ma poche, je tâte le bijou que je vais rapporter.

La mine déconfite de mes amis m'agace. Ils sont restés silencieux sur ma proposition. Il faut en finir.

— Alors, Pierre ? Décision ?

Mon ton est incisif, presque brutal. Mais Tréguer me regarde avec bonhomie.

— Décision : l'hôpital. Tu as raison, mon vieux. Mais...

— Allons bon ! Il y a un mais ?

— Pas pour toi. Tu as fait ce que tu as pu, Robert, et je t'en remercie. D'ailleurs, je sais bien que tu feras davantage, même en ronchonnant. Je te connais, va, vieux hérisson ! Le « mais » c'est une idée qui me poursuit. Celle de chercher dans le domaine psychique. Je suis sûr, moi, qu'il y a dans cette affaire quelque chose qui dépasse l'entendement normal. Je sens des fluides très forts, et...

— Cela te glace les mains, comme le cabochon, hier, chez mon beau-père ?

La bonne tête ronde de Tréguer me fait rire tout d'un coup, mais d'un rire nerveux, sarcastique. Je poursuis sans lui laisser le temps d'intervenir :

— Dis donc ! La pierre terrible, recelant des pouvoirs effrayants et que... quelqu'un de mal intentionné, d'après toi, nous avait fait remettre ? Eh bien, la voilà, cette malheureuse pierre. Je la balade depuis ce matin dans ma poche. Je n'en suis pas mort ! Mais sais-tu à qui elle appartient ? A un brave bonhomme, un mathusalem milliardaire, qui s'appelle Dawal et qui descend au *George V* pour s'occuper de ses affaires, le plus honnêtement du monde !

Je tends la pierre au creux de ma main. Je la lui fourre sous le nez, rageusement.

Babette et lui se sont penchés d'un seul regard sur le caillou.

— Je suis sûr que ton pendule ne tournera plus du mauvais côté après ces explications, mon cher fakir !

— On va voir !

Tréguer a pris le cabochon et l'a posé sur la table. Il a élevé son pendule. La figure de Babette,

admirative et impressionnée, m'amuse pour de bon.
Tréguer a dû lui raconter de ces histoires...

Le pendule ne tourne pas ; il bondit par saccades.
On dirait un hanneton fou attaché au bout d'un fil.

Si je n'étais pas convaincu que seuls, les réflexes
inconscients des doigts qui le tiennent l'agitent, je
marcherais dans leurs fumisteries.

Je goguenarde :

— Alors ? Le fluide est bon ce matin ? Tu dois
repérer de l'or, sourcier ? L'or du milliardaire ?

Tréguer va répondre, mais une main tâtonnante
s'est avancée. L'aveugle s'intéresse à la conversation. Il veut y prendre part, ce pauvre type. Je lui
guide la main vers le cabochon.

— C'est un bijou, cher monsieur. Une sorte de
bille de cristal, au fond de laquelle se trouve une
pierre d'un aspect indéfinissable.

Les doigts de l'homme ont recouvert le bijou, le
font, durant un instant, rouler sur le bois de la table.
Et soudain...

Non, je n'oublierai jamais ce hurlement !

On eût dit que l'aveugle venait de recevoir une
décharge de milliers de volts. Cela l'a mis debout, l'a
projeté à quelques mètres, vers le mur où il est allé
s'affaler durement.

Nous nous penchons sur lui. Il écume, se roule.
Une image stupide me traverse le cerveau : celle
d'un chat en furie ! Comme si cela pouvait avoir un
rapport avec ce malheureux ! Tréguer ne m'a-t-il pas
raconté hier que l'aveugle tombait en crises ?

A présent il parle, lâche des mots, des phrases :

— L'oiseau !... Prenez garde !... C'est lui !...
L'homme !... L'oiseau !... Il fouille dans vos yeux ! Il
fouille... ! Ah ! ! !

Cette fois on a enfin appelé le médecin qui est
venu avec sa seringue !

Je n'ai jamais respiré parmi tant de roses !

En touffes ! En corbeilles ! En bouquets ! De toutes les teintes. De toutes les formes ! De la timide rose-mousse, aux pétales serrés, faite pour orner le corsage d'une fiancée, à la fleur hyperbolique, épanouie dans sa chair aux multiples volutes ; lascive et presque impudique.

Elles m'ont accueilli avec leur silence odorant. Elles m'accaparent, forcent la contemplation, retiennent, étonnent et ravissent.

Suis-je à Paris, dans ce quartier très occidental des Champs-Elysées, où s'écoule le fleuve quotidien de carburant brûlé, de gomme vulcanisée qui représente la civilisation sur pneus ? Ou bien aurais-je pénétré, à mon insu, dans un jardin fermé des « Mille et Une Nuits » ?

Le sifflet de l'agent, pas loin, qui fait traverser la piétaille, me ramène à la réalité de l'avenue George-V.

L'ascenseur m'a monté. On m'a fait entrer dans cette pièce en me priant, avec toute la politesse orientale, de bien vouloir attendre.

J'attends.

Est-ce le parfum épais qui m'entoure et annihile en moi toute autre perception ? Je n'entends plus rien, à présent, qu'un silence soyeux, à peine troublé par la chute furtive d'un pétale.

Ce doit être ainsi dans les enchantements !

Si le fakir Omar était là, il pourrait me renseigner ! Il faudra que je lui parle de « la magie des roses » ! Je l'épaterai !

Pauvre vieux Tréguer ! Il respire en ce moment, lui, la sale odeur d'éther et de formol qui traîne dans les couloirs des hôpitaux. On lui a casé enfin son aveugle. Que pouvait-on faire d'autre ?

Si j'ouvrais une fenêtre ? J'éprouve l'envie soudaine de reprendre contact avec un paysage familier. De retrouver les buildings, l'asphalte...

Singulière sensation d'être entraîné dans un monde inconnu, de toucher à une frontière.

Ce doit être ce parfum de roses amoncelées. Eh oui ! Une vague nausée sucrée me chatouille l'épigastre.

Il y a combien de temps que l'on me fait attendre dans ce salon-jardin ?

Décidément, je vais ouvrir !

Un bruit de porte derrière moi. Le secrétaire qui m'a accueilli est entré et s'incline :

— M. Dawal prie monsieur de bien vouloir venir.

Je n'attends que ça !

Nous traversons encore une ou deux pièces. M. Dawal occupe presque tout un étage. Un gros ponte, décidément ! Parmi la cohorte des secrétaires, dactylos, grooms et employés qui s'y agitent, il m'a semblé reconnaître une silhouette à la démarche oblique. Le gamin d'hier. Hé ! il a l'air de s'éclipser avec promptitude !

Me voici enfin dans le bureau du business man.

Là, ce sont les figures de ballet habituelles, formées par les allées et venues des dactylos, des téléphonistes, des radios, des secrétaires, des agents commerciaux, etc.

On parle en même temps avec plusieurs capitales du globe. On jette des chiffres, on en reçoit.

Cette ronde tourne autour d'un énorme fauteuil. Et dans ce fauteuil se trouve l'être le plus chétif que j'aie jamais vu.

Il parle d'une voix dominatrice, mais fluette. Il dicte, lance des ordres, répond, mélangeant l'anglais au français, l'allemand à l'italien, avec aussi une langue que je ne connais pas.

On l'entoure d'un respect craintif. On se courbe,

on se soumet, on s'empresse. Beaucoup plus qu'un chef d'entreprise, qu'un « boss », ce Dawal fait penser à un satrape d'Orient.

Un des secrétaires me prie d'attendre encore. On n'a pas tout à fait fini. Il s'agit certainement de grands marchés, où se vendent des denrées précieuses. Pierreries ! Secrètes aussi, je le soupçonne. Opium ! M. Dawal doit être un gros fournisseur de ce coûteux poison !

Bah ! Il faut bien que tout le monde vive ! On ne peut pas vendre que des petits-suisses !

Il y a tout de même autour de moi des particuliers qui ont de drôles de bouillottes ! On les croirait sortis d'un mauvais film d'angoisse où les comédiens en remettraient. Maintenant, c'est peut-être moi qui « en remet » ?

Dans son fauteuil, là-bas, emmitouflé sous une couverture de zibeline, le petit vieillard s'agite, discute, ordonne. Plusieurs fois, sa main diaphane s'est tendue vers moi pour me faire signe d'excuser, d'attendre.

J'attends. J'observe le bonhomme. C'est une manie professionnelle que j'ai de photographier les êtres et les lieux.

Depuis un moment je me demande à quoi fait penser ce profil ? Je cherche la comparaison. Cela devient une obsession comme pour une rengaine dont on a oublié les paroles, ou une couleur dont on ne trouve pas la définition.

Ce visage qui semble pointer en avant... ? J'ai déjà vu cela. Mais où ? Dans quoi ?

Sur le crâne, de forme ovoïde, à la peau blafarde, s'étirent, de place en place, quelques rares cheveux d'un gris jaunâtre.

« Déplumé ! » m'avait dit mon copain de la réception.

Bien vu !

Le front est étroit, le teint cireux, les lèvres sans couleur, minces comme une coupure de rasoir.

J'en suis là de mon examen signalétique, lorsque le flot tourbillonnant quittte la pièce. D'un geste, M. Dawal vient de balayer tout son monde.

Maintenant je suis seul avec lui. Avec le silence. Et avec les roses. Car, là aussi, il y a des roses un peu partout. Elles sont groupées avec art dans des vases de verres transparents. Ceux qui ornent la cheminée doivent être en lapis-lazuli.

A signaler aussi un autre émerveillement. Une foison de tapis multicolores, avec des tons irréels de vitrail, jetés çà et là. Mais de quelle façon subtile !

La voix fluette m'appelle. Elle est douce, chantante, plaintive :

— Approchez, cher monsieur ! Combien de milliers d'excuses ne dois-je pas vous supplier d'accepter ? Prenez un siège. Vous avez pu voir comment on me dévore tout vif avec ces téléphones, ce courrier, ces demandes...

On perçoit dans ces mots un léger accent. Cela dégage un charme exotique qui apaise après le tohu-bohu qui précéda.

Pendant que je m'installe, il poursuit :

— J'ai donné des ordres pour que l'on ne nous dérange plus, cher monsieur, tant que durera notre entretien.

— L'entretien sera court, monsieur. Je m'en voudrais de vous faire perdre de coûteuses minutes ! J'ai peu de choses à vous dire. Une simple question suffira. Connaissez-vous ceci ?

Sur ma paume tendue, je lui présente le cabochon, objet de tant de troubles.

L'homme fait face. Je remarque ses yeux. Ils sont petits, vilainement striés de veinules rouges. L'iris est décoloré, terni, passé, comme peut l'être une étoffe rongée par le temps. Les paupières sont bordées de rouge et sans aucun cil.

Pourtant, dans ces yeux sans éclat, presque sans vie, j'ai bien cru voir passer une lueur que je ne saurais à l'instant définir.

Joie ? Ironie ? Triomphe ?

— Ce bijou m'appartient, monsieur.

— Reprenez-le, monsieur.

Les doigts aux ongles exagérément longs, ont effleuré ma main. Ils ont saisi le cabochon.

Je me sens débarrassé comme si l'on venait de m'ôter un mal. Je ne pense plus qu'à partir.

— Dans quelle occasion, monsieur, avez-vous été mis en possession de ce bijou ?

La lueur fugace s'est rallumée au fond des yeux délabrés. Quelque chose, dans le ton, sonne faux. Mais je trouve une explication plausible. Le bonhomme craint probablement d'être tapé pour une récompense ! Plus on remue de milliards et plus on compte les petits sous ! Cela arrive !

Il faut tout de même lui répondre :

— Ce bijou, monsieur, a été apporté chez mon beau-père, un joaillier, par un jeune garçon qui voulait le lui vendre. L'affaire nous a paru douteuse. J'ai pu, en suivant le gamin, connaître le véritable propriétaire de l'objet. Veuillez donc considérer ma mission comme terminée.

Je me suis levé.

Les deux mains ridées emprisonnent le cabochon, le roulent, le caressent.

— Monsieur Ferrand, vous me rendez un trésor inestimable ! Que le ciel dispense ses bienfaits sur votre tête, sur votre maison, et que votre postérité lui soit chère !

— Merci, monsieur, vous me comblez !

Du haut de ma taille robuste, j'éprouve un plaisir animal à considérer ce malheureux débris, agité de petits soubresauts dans son fauteuil. Mais en même temps une pitié poisseuse m'envahit devant cette laideur, cette vétusté. On dirait qu'il y a deux courants en moi. Cet être inspirait-il des sentiments contradictoires ? Un *ying* et un *yang* ?

Mais je le vois enfoncer ses mains dans les vastes poches de sa robe de chambre en satin noir. Eh là ! j'espère bien qu'il ne va pas me jeter un pourboire ? Pour qui me prend-il ?

Les deux mains parcheminées réapparaissent, retenant plusieurs billes de cristal.

— Regardez, cher monsieur. Cela vaut la peine ! Voyez ces merveilles de la création ! Merveilles incomparables ! Ni les perles, ni les diamants les plus chers, ne peuvent rivaliser avec elles. Personne au monde, monsieur, n'a une collection qui vaille celle-là !

Il m'a glissé ses cabochons dans les mains. Ils sont taillés de la même manière que celui que je rapporte et qui émut tant mon beau-père. Mais les pierres enserrées dans le cristal sont de teintes multiples. L'une est ambrée, comme la première, d'autres sont bleues, quelques-unes ont le sombre éclat du jais. Il y en a même d'un gris très doux comme un ciel voilé.

Je remets les bijoux sur le guéridon.

Pourquoi en les sentant rouler au creux de mes mains, ai-je éprouvé une crispation de dégoût ? Sans doute la manie qu'a ce vieux de tripoter ces pierres aura provoqué mon réflexe.

Il vient de se lever, rejetant sa couverture, comme s'il se débarrassait d'un suaire.

Je le croyais plus petit. Son buste fluet repose sur de longues jambes. Le dos est très courbé, le cou décharné, étiré, et la tête incline vers le sol.

Mais à quoi fait donc penser cette silhouette ?

— Monsieur Ferrand, je serais très heureux de vous manifester ma reconnaissance.

— Vous me l'avez dite, monsieur, cela suffit.

— Vous voulez que je reste éternellement votre obligé ?

— L'obligation ne sera pas bien pesante.

Il avance à pas menus dans sa robe de satin lourd. Les pieds chaussés de babouches glissent sur les tapis.

Voilà une collection qui me charme infiniment plus que celle des cailloux de cristal !

— Je vois que vous admirez en connaisseur, monsieur Ferrand !

— Ils sont splendides, en effet !

Un sourire vient de passer sur le visage ruiné du bonhomme. Cela ressemble à ces éclats de soleil qui accusent ce que la grisaille dissimulait. Le sourire de M. Dawal a quelque chose de pénible qui fait fuir le regard.

De son doigt à l'ongle excessif, il désigne les tapis :

— Celui-ci est un Tabriz... voyez cette rosace... Elle semble avoir bu la lumière ! L'autre ici vient d'Ispahan... Celui-là de Chiraz. Ah ! ici, vous voyez un tapis du Sistân qui évoque le désert blanc à l'infini. Regardez aussi, monsieur, ce Kâshân de peluche souple, à points noués : le nœud sinneh est le plus fin, comme vous le savez sans doute...

Je ne sais rien du tout, mais je ne peux résister à un désir violent de toucher cette merveille. Je me penche et je passe la main sur le bord du tapis aux tons rutilants.

Quand je me relève, j'aperçois M. Dawal qui parle à un serviteur entré sans bruit. Il lui désigne le tapis. L'homme s'incline, puis il roule la carpette et l'emporte.

— Vous la retrouverez dans votre voiture, cher monsieur.

Je proteste, confus. Le tapis vaut des centaines de

mille ! Et moi qui soupçonnais ce pauvre vieux de ladrerie ! Mes idées sont une fois de plus en déroute. Lui insiste, de sa voix douce :

— Ne me refusez pas cette pauvre petite chose de rien ! J'en ai des milliers d'autres dans mes maisons d'Iran. Et puis... il y a sans doute une Mme Ferrand à qui cette babiole fera plaisir ?

Je pense à la joie d'Anne-Marie et je me sens mollir. Elle verra ainsi que le cabochon, loin de porter malheur, était une pierre bénéfique !

Allons, le père Dawal n'est pas un mauvais bougre.

— Monsieur Dawal, c'est moi, à présent, qui suis votre débiteur.

— J'y compte bien. J'ai quelque chose de très important à vous demander. Chose très secrète. Entre seulement nous deux !

Il a glissé au creux d'un fauteuil et lève vers moi son visage gris. Ses yeux malades cherchent les miens.

— Monsieur Ferrand, vous voyez devant vous un pauvre homme ! Oui, ces mots peuvent faire sourire quand on connaît les affaires Dawal ! Mais je suis pauvre ! Très pauvre ! Il me manque la chose du monde qui donne le meilleur sommeil. Je veux parler de la confiance ! Ah ! monsieur, si vous saviez ! Je suis entouré de traîtres. On ne pense qu'à me gruger, à me voler. La preuve : ce gamin que vous avez si habilement dépisté ! Tout le monde me vole, monsieur ! Et jusqu'aux membres de ma famille. Ils n'attendent que ma mort et agiraient volontiers pour la provoquer ! Ce ne sont que des neveux, des cousins. Je n'ai pas de femme, pas d'enfants. Si j'en avais eu, sans doute m'auraient-ils trahi et renié ? Je ne sais pourquoi on ne m'a jamais témoigné la moindre parcelle d'amitié. Je suis laid, monsieur. J'inspire l'éloignement.

Il est cassé, replié dans son fauteuil. La voix de crécelle est discordante et pathétique. Une trace humide brille au creux d'un sillon de sa joue. Est-ce une larme ?

Je me sens embarrassé, empêtré, aussi efficace qu'un paquet de macaroni. La pitié déjà éprouvée me revient, mais j'aimerais tout de même bien être ailleurs.

— Monsieur, je vous plains énormément, mais...

C'est tout. Je m'arrête court. Non, je ne sais pas consoler un milliardaire qui pleure !

Lui s'est ressaisi. Son ton change :

— Monsieur, c'est au directeur de l'Agence Ferrand que je m'adresse.

— Comment connaissez-vous l'Agence Ferrand, monsieur ? Je ne vous en ai pas parlé que je sache ?

— Il est vrai. Mais je ne reçois jamais personne sans avoir pris des renseignements. C'est assez facile à comprendre dans ma position, cher monsieur, n'est-ce pas ? J'ai fait interroger l'employé de la réception auquel vous vous êtes adressé hier. Il a fait beaucoup d'éloges sur votre affaire qui est, a-t-il dit, une des premières agences de police privée de Paris ! C'est ainsi que j'ai songé à vous demander de venir à Téhéran.

Bigre ! Ce diable de cabochon risque de m'entraîner loin.

Mais je ne suis pas décidé. Il y a dans tout ceci quelque chose qui manque de netteté et qui me gêne.

— Monsieur, je ne vois pas en quoi ma présence à Téhéran pourrait vous servir.

— Elle serait capitale, monsieur ! Avec vos dons d'observation, votre regard... Car vous savez regarder. Vous avez des yeux étonnants d'acuité. Et de plus, ils sont beaux ! Avec toutes ces qualités, ce flair, vous n'auriez pas de peine à découvrir les auteurs de certaines manœuvres que je soupçonne. On me tend des traquenards, monsieur, pour me voler !

Est-ce la manie de la persécution ? Certains vieillards en sont atteints, je le sais et en arrivent à accuser la terre entière de tous les méfaits.

Je rétorque que pour mener une enquête dans un pays étranger, encore faut-il en connaître la langue, et être familiarisé avec les mœurs, les coutumes...

Mais il ne veut rien entendre.

— Je vous présenterai comme un ami français à qui j'offre l'hospitalité. Vous pourriez être un romancier et avoir un livre à écrire sur l'Iran ? Tout le monde sera flatté de vous documenter. Et pourquoi n'emmèneriez-vous pas Mme Ferrand ? Ce serait pour vous deux un voyage de rêve, monsieur ! Le tout à mes frais, bien entendu. Je vous ferai visiter les villes d'art où l'on retrouve les trésors de la vieille Perse. Vous verriez des palais, des fontaines, des jardins enchantés, dont vous ne pouvez pas ici soupçonner la splendeur ! Mes voitures, mes avions, seraient à votre disposition. Vous resteriez le temps qu'il faudrait...

— Je ne peux pas quitter mon affaire pour si longtemps, monsieur.

— Peu de jours si vous voulez ! Juste le temps de connaître les âmes vilaines et de me les désigner. Enfin je vous offrirai une rétribution importante... Voyons... cela pourrait être...

Il s'arrête un moment, semble calculer puis dit enfin un chiffre. C'est considérable ! Jamais je n'ai traité une affaire à ce prix.

— Il n'y a pas de prix, monsieur Ferrand, pour ce que vous m'apporterez ! Pas de prix !

Je garde un silence peu encourageant. La chose ne me tente pas. Cela ressemble trop à un caprice d'homme riche. J'aime le vrai travail, celui qui est utile. Mais là… ! Non, même en pensant à la somme qui m'est offerte, je n'arrive pas à envisager ce déplacement.

Qu'irai-je faire, moi, au fond de la Perse, à surveiller les agissements des cousins vénéneux ? Je soupçonne fort d'ailleurs ce vieux Crésus de se monter la tête et de voir des voleurs partout !

Il est devant moi, debout, promenant sa main sur le revers de mon pardessus, sur mon épaule. Je sens les doigts secs qui appuient comme s'ils m'auscultaient. Ce n'est pas agréable. Je recule.

— Vous viendrez, monsieur Ferrand ! Vous viendrez ! Au besoin j'enverrai les djinns vous chercher. Vous connaissez bien, n'est-ce pas, ces petits esprits, ces élémentals, qui habitent une des montagnes de chez nous ? Ils sont puissants quand ils veulent !

Allons bon ! Lui aussi va me tympaniser avec des histoires de sorcier ?

Mais il s'est mis à rire de sa boutade. Un petit rire qui craque comme une coque de noix écrasée.

— Vous ne croyez pas aux djinns, bien sûr ! Je plaisantais. Prenez votre temps pour réfléchir, mon cher monsieur Ferrand. Je dois moi-même partir ces jours-ci pour New York. A mon retour à Paris, je vous téléphonerai.

C'est l'échappatoire. Je la saisis.

— Eh bien c'est entendu. Nous en reparlerons à ce moment-là. Si toutefois je suis à Paris. Car je dois m'absenter pour aller en Allemagne. Au revoir, monsieur, et… encore merci pour ce trop somptueux cadeau.

— Jamais ! Jamais ! Vous en rapporterez d'autres de chez moi !

Sa main dans la mienne me fait l'effet d'une patte d'animal mort. Pauvre type ! C'est vrai qu'il n'est pas attirant.

Ouf! J'ai retrouvé l'asphalte de l'avenue avec plaisir.

J'ai trouvé aussi le boy, planté devant ma voiture, avec son tapis roulé sur l'épaule. Dès que la portière est ouverte, il glisse le Kâshân soyeux sur le siège et s'éloigne prestement, visage hermétique.

Vais-je sortir ce tapis et le remettre au portier pour qu'il soit rendu au vieux nabab?

Ma portière s'est refermée toute seule, comme s'il lui appartenait de décider pour moi.

Bon! Embarquons le tapis. Mais je suis quand même bien résolu. Malgré le « pont d'or », les djinns et toutes les splendeurs de la Perse : je n'irai pas à Téhéran!

CHAPITRE V

L'avion part à quinze heures trente.

Grébard nous conduira à Orly avec ma voiture. Cela me permettra, chemin faisant, de mettre au point avec lui les dernières questions en suspens pour l'agence. Grébard est un type bien qui a de l'œil et de l'initiative. Je le considère de plus en plus comme mon second et je lui passe volontiers les commandes.

Dans l'appartement règne le joyeux désordre des départs en vacances. On enjambe les valises, les sacs. Les manteaux de voyage sont déjà sortis et attendent sur le bras d'un fauteuil où on les a jetés. J'entends Anne-Marie qui fredonne dans la salle de bains. Elle prépare la trousse de toilette. Sa chanson me chatouille gentiment le cœur et j'ai envie d'aller l'embrasser à même ses lèvres. Il y a une ivresse qui flotte dans tous les coins ! Celle de fuir à deux, d'aller ensemble à la découverte d'horizons nouveaux. Et surtout d'échapper au malaise qui depuis quelques jours nous obsédait.

Mais on vient d'introduire Tréguer ! Il arrive vraiment comme du poivre sur la crème !

Je lui fais un accueil rogue.

— Mon pauvre vieux, tu tombes mal. Nous partons pour l'aérodrome dans trois quarts d'heure.

— Je sais. L'avion de Téhéran. Tu es bien décidé ?

— Le contraire me surprendrait ! Nous allons faire, Anne-Marie et moi, un voyage épatant. Un second voyage de noces !

— Que tu crois ! Mais moi je dois t'avertir...

— Ah ! non, Pierre, tu ne vas pas recommencer avec tes conneries ?

J'ai lâché le mot. Je suis trop furieux. Mais lui ne se démonte pas.

— Appelle cela comme tu voudras. Ce voyage, moi, je ne le vois pas bon !

— Fous-moi la paix ! Que tu voies ou ne voies pas, cela ne change rien ! Et ton aveugle ? Est-ce qu'il voit, lui ?

Aussitôt prononcée, je trouve cette question stupide, et même odieuse. Mais Tréguer m'exaspère décidément avec ses airs inspirés. Le fakir Omar se prend un peu trop au sérieux !

Toujours calme, il me répond :

— Mon aveugle n'est pas réveillé. Tu sais bien que le toubib qui l'a entrepris lui fait faire une cure de sommeil.

— Il devrait bien t'en faire autant. Cela remettrait peut-être les choses en place dans ton petit crâne.

— Il y a choses et choses. Celles que l'on voit et... toutes les autres qui nous environnent. Qui font partie des forces cachées, bonnes ou mauvaises. Certains êtres ont reçu le don de détecter ces forces, de les dominer et de s'en servir...

— Ecoute, mon vieux, si c'est une conférence, fais-la taper en plusieurs exemplaires et envoie-moi ça à Téhéran, *Park-Hôtel*. Je la lirai un soir de pluie.

— Sale tête de bois !

Il s'assoit sans façon malgré mon impatience, puis sortant son fameux pendule il le promène au-dessus du tapis. Le merveilleux Kâshân, auquel Anne-Marie a donné la place d'honneur dans le salon.

— Une vraie saleté ! marmonne Tréguer.

Je me vexe bêtement :

— Des saletés de ce genre, je t'en souhaiterais beaucoup, espèce de bouseux ! Ce tapis-là vaut une petite fortune. Cela fait partie des objets d'art.

— Je n'en disconviens pas. Et je sais apprécier, figure-toi ! aussi bien que n'importe quel connaisseur la splendeur des tapis de Perse.

Son ton s'est fait ironique, presque agressif.

— Eh bien ! Apprécie, mon vieux. De plus, j'ai fait expertiser l'objet par quelqu'un de sérieux, qui ne procède pas au pendule, mais qui m'a déclaré que...

— Ce tapis est très ancien, continue posément Tréguer. Peut-être a-t-il orné les marches du trône dans un palais sassanide ? Tout cela est possible. Seulement...

— Seulement quoi ?

— Sais-tu ce que c'est que la télesthésie ?

— Une ânerie, très probablement !

— C'est le fait de transmettre à distance des forces, des sensations et des volitions. Pour cette opération magique, car c'en est une, on peut se servir d'un support. Ce tapis est un support. Il est fluidé.

Il a dit cela d'une voix étale. Sa conviction ridicule me déclenche :

— Pierre, tu veux que je te foute à la porte ?

— C'est ce que tu feras, certainement. Mais avant, réponds-moi. As-tu bien pris tes renseignements sur ce Dawal ?

— Tu vas peut-être m'apprendre mon métier ?

— Réponds, grand balourdin ! Il t'a téléphoné à son retour d'Amérique pour insister sur sa proposition bizarre de t'entraîner à Téhéran.

— Bizarre ! Comme si je n'entreprenais pas de déplacements pour mes clients ! J'ai déjà passé quelques frontières et quelques océans, tu sais ! Et pour des affaires bien épineuses, où il y avait du sport !

— Ah ! j'aimerais mieux le sport pour toi !

Non, vraiment, il m'agace avec ses allusions gonflées de mystère comme des ballons rouges ! Je rétorque sèchement :

— M. Dawal est un client. Un très gros client. Il s'est montré, en plus, très élégant...

— Oui, oui, je sais ! Il a bombardé Anne-Marie de roses et de roses ! Vous ne saviez plus où fourrer les corbeilles. Il y en avait jusque dans la baignoire ! Il vous a aussi invités à la *Tour d'Argent* et chez *Maxim's,* avec des menus d'imperator et des bouteilles à se mettre à genoux ! Pourtant, en face d'une tronche comme la sienne, ça doit être difficile d'avaler jusqu'au bout !

— Est-ce que tu serais bassement jaloux, par hasard ?

Je préfère prendre le parti de plaisanter. Cela fera peut-être dévier cet entretien qui commence à me peser.

Mais Tréguer est tenace. Il veut aller jusqu'au bout ! Tout ce que je souhaite, c'est qu'Anne-Marie ne survienne pas. Je l'entends qui va et vient dans les pièces voisines. Elle fait ses dernières recommandations à la bonne. La vieille Emilie est montée. C'est elle qui supervisera pendant notre absence. Bon ! Bon ! Trois femmes qui jabotent lessive, teinturière, nettoyage... cela peut durer un moment ! Tréguer aura fini son disque. Pour l'instant, il continue :

— Oui, va ! Paye-toi ma physionomie. J'aime mieux la mienne que celle de ton Dawal. Quand je l'ai croisé, l'autre jour, dans les escaliers de l'agence, tu ne peux pas t'imaginer ce que j'ai ressenti !

— Oui, je vois ! Encore un coup de fluide glacé !

Je m'obstine à blaguer. Mais le rire, que je force, ne me soulage pas. Il faudra bien arriver à lâcher la chose. Donner à Tréguer la véritable raison de ce départ. Mais je retarde encore :

— Tu deviens de plus en plus cinglé, mon pauvre vieux, avec tes antipathies occultes ! Tu fréquentes trop « dans l'astral », comme tu dis ! Ce pauvre Dawal n'a rien d'un pin-up-boy, évidemment. Mais quand on le connaît mieux.

— Dis-moi tout de suite que tu lui trouves un certain charme ?

— Imbécile ! Ce type est intéressant. Il connaît des tas de choses. Anne-Marie aime beaucoup l'entendre...

— Je crois bien ! Il lui débite des poèmes de Saadi, l'homme des roses ! Il compare ses yeux à des pierres précieuses, des fleurs de rêve, des lacs mystérieux... !

— Tu voudrais peut-être me mettre en garde contre ce séducteur ?

— Rigole, va ! Rigole bien !

— Il vaut mieux le prendre en rigolant que de t'envoyer une mornifle ?

— Je te la rendrais !

— Ça ne serait pas la première fois. Mais on attirerait du monde et je préfère être seul à entendre tes sottises. Alors, résumons-nous. Ce Dawal n'a rien d'un saint de vitrail, je te l'accorde. Il trafique dans pas mal de choses défendues, comme pas mal de bonshommes de sa sorte. L'or... la drogue... Et après ? Ces affaires-là sont courantes en Orient. On ne les juge pas sous le même angle qu'ici ! D'ailleurs ici, le marché ne se porte pas mal non plus, cher enfant de Quimperlé ! Mais là n'est pas mon affaire. Du moins pour le moment ! Dawal se croit volé. Il doit l'être, c'est certain. Il voudrait piper le plus gros

voleur. Il m'a demandé de venir voir, paye royalement, m'offre le voyage, ce qui est normal, et celui
d'Anne-Marie, ce qui devient une aubaine. Pourquoi refuserais-je une pareille chance ? Je fais des
affaires, moi, mon vieux. Je vends du coup d'œil. Je
vais aller en jeter un dans les montagnes d'Iran, où
se trouve le château du père Dawal. Un vrai paradis
d'Orient, m'a-t-on dit !

— Ouais... !

Que veut-il dire avec son ouais ? Va-t-il rester
encore longtemps, ramassé dans ce fauteuil, avec sa
figure têtue de sale plouc ? Il m'empoisonne, à la
fin !

— Dis donc, Robert ?

Ostensiblement, je soupire :

— Quoi encore ?

— Tu ne trouves pas drôle, toi, que si ce Dawal se
livre à certains trafics... disons : internationaux... il
ait songé à introduire chez lui un gars dans ton
genre ? Parce que tout de même, tu fais partie des
gens curieux de profession... Tu travailles même de
temps à autre avec les... curieux officiels...

— Tu peux bien dire les flics. Cela ne me vexe
pas !

— Qu'est-ce que tu me réponds, Robert ?

— Je te répondrais bien ce que je pense !

— Si ça te soulage...

Je reste silencieux. Muré. Désobligeant. Sa question fait son chemin, évidemment. Mais je me la suis
déjà posée. Bien sûr ! Sans vouloir m'y arrêter. Je ne
veux m'arrêter à rien. Je veux partir. Il faut que nous
partions, Anne-Marie et moi !

Eh là ! c'est elle qui vient de toucher à la porte !
Non : elle n'entre pas. Les femmes l'appellent à
l'office. Elle va les rejoindre. Ouf !

Il faut en finir. J'appuie mes deux mains sur les

épaules de Tréguer, toujours assis. Je vais le virer cette fois.

— Mon petit vieux, tu es passionnant, mais l'heure tourne. Grébard va bientôt être là. Où veux-tu en venir avec tes salades ?

Les yeux de Tréguer se lèvent vers moi. Comme ils sont frais dans ce visage rond et lisse. Une vraie tête pour une publicité de crème à raser ! Et dire qu'il se croit médium, ce cornichon-là !

— Robert, je sais bien que je t'empoisonne. Tu as hâte de me voir les talons. Mais il faut pourtant que je remplisse ma mission. Tant pis si tu te fous de moi ! Tant pis si tu ne me crois pas ! Robert, il y a quelque chose de très louche, dans toute cette histoire. Oh ! je ne parle pas de trafics clandestins. Ça n'est pas mes oignons. C'est sur le plan phéno-mènes paranormaux que je me place... Or, il y a autour de vous deux une mauvaise influence. Elle est dangereuse. En un mot, écoute-moi bien : ON VOUS ATTIRE LA-BAS !

— Qui ?

Je viens de crier cela.

— Quelqu'un ! dit Tréguer.

Et la gravité du ton, l'air d'évidence qu'a pris son visage, me font soudain bondir.

Vidons le sac ! Il y est arrivé ! Je l'empoigne par les revers de sa veste et je le secoue tout en lui parlant presque dans la figure :

— Eh bien, non ! Bougre de fieffé corniaud ! Non ! Tu te goures ! Toi et ta science psychique, occulte et autre balançoire ! Le « quelqu'un » à qui tu penses ne nous attire pas en Iran ! Pour la bonne raison qu'il n'est pas en Iran ! Et il n'est pas en Iran parce qu'il est ici, précisément ! Ici, à Paris !

— Chandrah ?

— Oui, Chandrah ! Il est en ce moment dans nos murs. Je l'ai vu de mes yeux, non pas d'extralucide,

mais de flic ! Malheureusement, Anne-Marie l'a vu,
elle aussi. Cela fait trois semaines qu'elle en est
torturée. Et moi avec ! Elle ne veut pas que je la
laisse seule ici, tu comprends ? Et ce voyage, je le
fais pour l'emmener. Pour la soustraire à une
hantise ! La hantise du passé. Ça c'est un fantôme
plus terible que tous ceux que tu fréquentes, toi,
avec tes mages et tes spirites à la noix ! J'emmène
Anne-Marie. Nous nous envolons vers un ciel qui
n'aura pas, pour nous, les reflets troubles de celui
que nous quittons. Rien n'y sera inscrit, comme ici !
Tout sera neuf ! Alors, toi, avec tes grosses pattes,
ne viens pas me gâcher ça ! Ne viens pas influencer
cette petite, lui faire craindre des sottises, alors que
tout le mal est derrière nous ! Elle est folle de joie de
partir. Toi, maintenant, fous le camp ! Je t'enverrai
une carte postale si j'y pense ! Fous le camp et
boucle-la ! Un seul mot de tes bribouilleries devant
ma femme et je ne te reverrai plus jamais !

Je l'ai entraîné ainsi vers la porte du palier. Mes
mains l'ont poussé. Je l'ai flanqué dehors. J'ai
refermé bruyamment. Définitivement !

Maintenant je reste interdit. Déjà plein de
regrets. J'entends les pas de mon ami qui descend
lentement. Ce bruit décroissant me fait une impression étrange, comme si je l'entendais derrière le mur
d'une prison.

— Robert, mon chéri, tu es prêt ?

— Mais oui. Et toi ?

— Dans cinq minutes ! Finalement je vais l'emporter, mon petit ensemble vert, tu sais...

Elle s'est engouffrée dans la chambre, bientôt
rejointe par les deux femmes.

Machinalement je regagne le salon. Je m'assois à
la place qu'occupait Tréguer. Il ne pouvait pas
savoir, évidemment, le pauvre fakir !

Moi-même je n'ai rien su tout de suite. La nervosité d'Anne-Marie lors de l'affaire du bijou m'avait paru bien excessive. Sa surprise lorsqu'elle en connut le véritable propriétaire, m'intrigua. Je ne la sentais pas délivrée comme je l'avais espéré. Elle avoua, avec cet embarras douloureux qui nous étreint l'un et l'autre, lorsque l'ombre de ce passé se glisse entre nous :

— Robert, je... tu as raison... je ne suis pas quitte. Ce bijou n'est pour rien dans tous ces petits tourments, c'est certain. Mettons-le à part. Mais... il y a autre chose... Avant-hier matin, en m'approchant de la fenêtre, j'ai cru reconnaître... une silhouette, enfin... sa silhouette dans la rue !

— Tu as rêvé !

— Non. Il a regardé la maison. C'était bien lui, avec sa figure de démon de pierre.

J'arrivai presque à la convaincre qu'elle s'était trompée. Mais le trouble où je la voyais me fit mal. Je ne parvenais pas à démêler si la vue de cet être lui inspirait de la crainte, de la répulsion, ou bien si l'ancien amour n'en était pas ravivé, ainsi qu'une ultime braise sous la cendre qui la recouvre ? Comme j'aurais aimé qu'elle fût autre chose que de la métaphore, cette braise, afin de pouvoir l'écraser sous mon talon, d'anéantir cette dernière étincelle !

Voilà un mois que je traîne cela ! Que je m'accroche à nouveau à des bougresses de questions, aussi méchantes que des ronciers !

L'amour qu'Anne-Marie a eu pour Chandrah, elle ne l'aura plus jamais pour personne ! Et c'était l'amour véritable ! Qui pompe tout ! Celui dont les racines vont jusqu'à l'essence même de l'être, et y demeurent ! L'amour qui me dépossède, moi, et ne me laisse que la tendresse. Cette doublure ! Ce simili !

Oh ! j'ai vite su qu'elle ne s'était pas trompée à sa

fenêtre. Moi aussi j'ai vu l'individu. Un soir, en
tournant le coin de ma rue. Il a traversé juste dans
mes phares.

C'était bien lui. Il glissait entre les voitures comme
un reptile qui fuit.

Que voulait-il ? Pourquoi le retrouvions-nous sur
notre route ?

Je le sus un matin, par les confidences de mon
beau-père.

— J'ai eu une singulière visite, Robert. Celle de
Chandrah ! Il est entré dans le magasin à un moment
où j'étais seul. Il avait dû me guetter sans doute. Un
Chandrah bien changé ! Humble ! Courbé ! Il a une
mine épouvantable.

— Que vous a-t-il dit ?

— Il... m'a demandé un peu d'argent.

— Pour aller le jouer ?

— Non. Pour acheter de quoi manger. Il défaillait
littéralement.

— Et... vous lui avez donné ?

— Oh ! peu de chose. Cela ne se refuse pas ! Il...
il m'a aussi demandé des nouvelles d'Anne-Marie.

— Bien aimable !

— Il voulait savoir si elle était heureuse. Je lui ai
dit que oui.

— Le pensiez-vous ?

— Oh ! mon cher Robert, prenez les choses sans
acrimonie, simplement : comme je vous les dis !

— La chose la plus simple, père, eût peut-être été
que vous refusiez votre porte à cet individu ?

— Je n'ai pas pensé que... Enfin... s'il revient je
lui dirai qu'il vaut mieux... à l'avenir...

Je ne pus en entendre davantage. Je plantai là
mon beau-père dans son magasin. L'idée que M.
Reydel avait pu accueillir ainsi cet être corrompu
m'était amère autant qu'une trahison. Je crois bien

que je lui en voudrai longtemps, même s'il n'en doit rien savoir !

Le soir je le retrouvai pour lui interdire de raconter cette entrevue à Anne-Marie. Il me le promit, mais avec un tel embarras que je ne doutai pas qu'il ne l'eût déjà fait.

Alors le silence d'Anne-Marie se mit à peser sur moi. Savait-elle ? Et si elle savait, pourquoi ne m'en parlait-elle pas ? Pourquoi dissimulait-elle, comme pour la marque de l'épaule ?

J'étais donc tenu en dehors ? J'étais donc l'étranger ?

Je fus sur le point d'aller porter mon cœur malade au bon Tréguer, dans sa vieille baraque, secourable comme une chapelle. Mais le temps me manqua. Je le savais très occupé, lui aussi. Des répétitions pour une nouvelle tournée et les visites à son dernier protégé, l'étrange aveugle.

Puis il y eut le retour de Dawal. De nouveaux entretiens. Je commençais à m'intéresser à ses affaires. Aux premiers mots du voyage proposé par le bonhomme, Anne-Marie explosa de joie :

— Oh ! Robert, accepte ! Allons-nous-en ! Ne me laisse pas seule à Paris en ce moment ! J'ai tant besoin de toi !

Elle me confia qu'elle avait à nouveau aperçu Chandrah dans le quartier et qu'elle n'osait plus sortir de crainte qu'il lui parle.

— Emmène-moi, Robert ! Ce sera merveilleux pour nous !

Je la serrai follement, lui promettant tout ce qu'elle voulait. Un instant je fus heureux, puis un doute me reprit. Si elle insistait tant pour éviter Chandrah, n'était-ce pas qu'elle se sentait peu sûre d'elle-même ? Craignait-elle de l'aimer encore ?

Mais non ! L'incomparable lumière des yeux qui me regardaient fit fondre ce bloc d'amertume, toute cette grosse peine amassée au fond de moi. Allons donc ! Ce regard ne contient-il pas le plus beau des sentiments ? Et c'est moi qui l'inspire !

— Robert ! Tu rêves ? Nous allons rater l'avion !

Anne-Marie est là, devant moi, vive et délicieuse avec un visage de petite fille la veille des prix !

Je me précipite pour fermer la dernière valise. La bonne introduit Grébard et mon beau-père, monté du magasin en même temps.

On précipite les adieux.

La route déjà nous libère.

Villejuif... le croisement de Thiais... Puis Bourg-la-Reine !

Grébard prend toutes les consignes. D'ailleurs, depuis l'histoire de la douane de Hambourg — qui est à peu près réglée — il n'y a pas d'affaire tellement importante.

— Ça vous fait des vacances, patron ! Mais ne vous laissez pas naturaliser chez les Kurdes !

— Pas de danger ! Et je rapporterai du caviar !

— Beuh !... Je n'ai jamais pu avaler ce truc-là, moi ! Ça sent l'huile de foie de morue !

— Criminel ! Infirme ! Vous ne devriez pas oser avouer une chose pareille !

J'entends le rire d'Anne-Marie derrière nous. Je me retourne. Nos yeux brillent du même bonheur. Aussi complet, aussi intense qu'un bonheur enfantin !

Rungis...

Enfin, nous longeons l'aéroport...

Nos bagages sont partis sur le petit chariot. Grébard vient de nous quitter. On appelle les passagers pour l'avion 190 : Rome, Tel-Aviv... Téhéran...

Un couple de vieux Anglais suit en clopinant. La femme marche en s'aidant d'une canne. Elle est drôlement vêtue, à la mode en honneur sous la reine

Victoria. Un chapeau large lui ombre le visage et ses yeux s'abritent derrière des verres fumés. Nous échangeons un regard amusé avec Anne-Marie. Ce couple d'aspect suranné, grimpant l'escalier qui conduit à l'avion, nous égaie. D'ailleurs, nous sommes prêts à nous égayer de tout !

Au moment de pénétrer à mon tour dans la carlingue, je me suis retourné, sans savoir pourquoi. Là-bas, à l'entrée des bâtiments que nous venons de quitter, j'aperçois vaguement un homme qui se débat et que l'on retient. Un qui arrive trop tard, sans doute. Tant pis pour lui ! Il a un peu l'allure de Tréguer. On dirait même que...

Mais quoi, serais-je obsédé ? Que viendrait faire ce pauvre Tréguer à Orly ?

L'hôtesse me fait entrer à la suite d'Anne-Marie. Nous nous installons, ravis, heureux, détachés déjà de cette vieille terre d'embêtements !

Les bâtiments défilent. Voici la grande passerelle. Il y a des gens qui regardent s'envoler les autres.

Mais... cette silhouette penchée sur la balustrade ?

Pas d'erreur cette fois. C'est bien Tréguer !

Pourquoi est-il là ? Quels sont ces gestes qu'il fait ? Croit-il que l'on retient un avion comme on attrape une mouche ?

Mes yeux en un quart de seconde se sont fixés sur ce visage bouleversé, cette bouche ouverte qui crie quelque chose. Une chose qui se perd dans le bruit des hélices.

Anne-Marie n'a rien remarqué. Elle parle avec l'hôtesse.

Tant mieux !

Le ciel enfin ! Le ciel rien que pour nous !

Orly est déjà loin. Mais là-bas sur l'horizon, il me semble encore apercevoir ce rond si petit, si dérisoire d'une bouche qui criait... !

CHAPITRE VI

Est-ce l'effet de ce ciel translucide, d'un bleu très particulier ? Vrai bleu de paradis ! J'ai, depuis quelques jours, l'impression de vivre dans une boule de cristal, où les choses du monde réel me parviendraient sous un aspect inusité. Plutôt déformées, ou encore : filtrées.

Pourtant, Anne-Marie et moi n'avons pas éprouvé dès notre arrivée cet enchantement béat qui nous engourdit.

Aux premières heures, cette ville où l'Orient prestigieux s'efface pour faire place aux buildings occidentaux avec confort et ascenseurs, nous a déçus. Si cela continue, l'exotisme dans cinquante ans aura disparu de la planète standardisée !

Devant ces avenues, soigneusement tirées au cordeau, avec des rues rectilignes bordant des blocs d'habitations bien nettes, d'où la crasse pittoresque est bannie, Anne-Marie a eu une moue dépitée.

— On se croirait à la Chaux-de-Fonds ! m'a-t-elle dit.

L'on évoque d'autant plus facilement cette digne cité helvétique, que l'on aperçoit au loin quelques contreforts neigeux. Pourtant ce sont ceux de l'Elbourz, qui séparent le plateau iranien, sec et désertique, des régions tropicales de la Caspienne, comme dit le guide !

Notre première journée de séjour à l'hôtel fut sans histoire. La sensation de vacances, éprouvée depuis le départ, ne nous quittait pas. L'oiseau du bonheur était toujours avec nous.

A l'aérodrome de Mahrabad, j'avais vite reconnu le secrétaire qui m'accueillit à Paris et me fit attendre parmi les roses. Ici, il venait nous chercher avec la grosse Cadillac de Dawal, pour nous conduire à notre palace. Palace sur le modèle de tous les autres. Ni plus, ni moins.

En sortant de l'aérogare, je remarquai que notre guide se retourna plusieurs fois sur le couple de vieux insulaires descendus derrière nous et qu'attendait une autre voiture américaine.

On ne les avait pas beaucoup ouï parler, durant tout le vol ! Je crois même que la femme n'avait pas dit un seul mot. Obstinément, elle restait confinée sous l'écharpe de tulle qui maintenait son chapeau, comme au temps des tilburys. Elle n'avait pas même enlevé ses lunettes pour dormir ! La caricature était si flagrante que j'eus, à plusieurs reprises, l'idée d'une supercherie, d'un déguisement. Qui dissimulait quoi ? Une fraude quelconque ? Je me mis en boîte moi-même : « Déformation professionnelle, mon vieil Œil-de-lynx ! Tu vois du suspect partout ! »

Mais nous sommes arrivés à Téhéran, sans que la bonne dame ait sorti un chapelet de bombes de dessous ses jupes !

Le secrétaire s'était retourné une fois de plus :

— Vous connaissez ces chères vieilles gravures ?

Ma question resta sans réponse. L'homme la jugeait probablement superflue, voire même stupide. Un sourire indéfinissable erra sur son visage au teint plâtreux. Ce sourire s'adressait-il à moi ou à la cocasserie du couple qui venait de disparaître ? Je ne sus le démêler. Aujourd'hui encore, je me le demande. La figure de ce type ne me revient pas. Ni

ENGRENAGE

Caroline CAMARA Alex VAROUX

ENGRENAGE
Denis Nauze
EH BIEN,
DANSEZ,
MAINTENANT!

ENGRENAGE
Alex Varoux
TÊTE
A CLAQUES
(Pas
ce soir,
chérie...)

ENGRENAGE
J.-P. Bastid et M. Martens
UNE MAISON
EN ENFER

ENGRENAGE

à paraître ce mois-ci

sa façon de sourire. Il me fait penser à un cadenas. Un cadenas qui aurait tout d'un coup envie de se marrer !

Aurait-il flairé la véritable raison de mon voyage ? Ferait-il partie de ceux que le vieux Dawal appelle « des traîtres » ? Il faudra voir.

Il nous laissa à l'hôtel, en grande cérémonie, me fixant rendez-vous au lendemain chez le magnat :

— M. Dawal enverra la voiture pour conduire M. Ferrand.

M. Ferrand fut content de voir disparaître cette binette couleur de nougat tourné. Et aussi de disposer de la journée pour faire le touriste avec sa femme :

— Allons voir les jardins ! dit Anne-Marie.

Nous sommes partis comme deux écoliers échappés. Un taxi extravagant nous a baladés dans un enchevêtrement de rues, plusieurs fois baptisées, où il a fini par se perdre. Nous avons longé les jardins du Golestan, aperçu les hauts platanes des ambassades, contourné des excavations, frôlé des bulldozers en plein travail. Enfin nous avons entrevu quelques vieilles mosquées et notre chauffeur, fortement moustachu, nous a débarqués au Bazar.

Là, parmi la foule où, hélas, le veston européen domine, nous avons tout de même croisé un derviche. Mais qui ne criait pas. Une femme en tchâdor. Mais vieille. Enfin, deux Kurdes loqueteux. Mais pacifiques ! L'Orient nous faisait un clin d'œil.

— Tu ne trouves pas, Robert, que cela sent le thé et le miel ?

— Avec un petit arrière-goût de naphtaline !

Nous avons ri, puis nous sommes allés nous embrasser sous un vieux porche.

Une journée d'amoureux !

A notre retour de l'hôtel, nous avons trouvé des roses, adressées à Anne-Marie de la part de M. Dawal. Il y avait aussi pour moi un coffret de bois précieux, bourré de cigarettes.

Il exagère, le nabab ! Qu'il attende au moins le résultat de mon boulot. Il est vrai que je ne sais plus trop par quelle patte le prendre, ce boulot !

Le climat de cette ville me rendrait-il paresseux ! Depuis quatre jours que nous sommes les hôtes de Dawal, je n'ai pas avancé d'un point. Je fume ses cigarettes, que d'ailleurs je n'aime pas ! Je les fume nerveusement, en me posant des questions oiseuses.

Vu sous un certain angle, l'entourage du bonhomme me paraît suspect, plus que suspect : bizarre. Mais l'angle change d'éclairage et je ne vois que des gens parfaitement naturels, qui se livrent à un travail très normal. Affaire banale d'exportation : riz, coton, tabac, pierres précieuses. Le père Dawal vient d'ouvrir une mine de turquoises, découverte dans son domaine du Gorgan, et plus importante, m'a-t-il dit, que celles de Nishâpur !

A tout hasard, je l'ai félicité.

Eh ! oui... S'il n'y avait pas eu cette silhouette rôdeuse, et l'affolement d'Anne-Marie, et mes propres fumées... jamais je n'aurais accepté une affaire aussi ridicule, où j'ai l'air de ne pas gagner l'argent qu'on me donne !

Si je reprenais l'avion avec Anne-Marie ? Oui : je trouverais une explication plausible pour lâcher Dawal. Cela me coûterait cher, évidemment. Je reprendrais voyages et séjours à mon compte. Le vieux n'en serait que pour ses roses ! Non, cette enquête : *je ne la sens pas.* Et moi je suis comme le chien courant. Pour me faire partir, il faut que j'aie flairé la piste. Or, je ne flaire rien. Ou plutôt si... mais alors... quelque chose de vaguement prémonitoire, comme une obscure menace.

Allons ! Vais-je donner dans les divagations de l'illustre fakir Omar ? Le cri muet de Tréguer sur la terrasse d'Orly s'est-il imprimé dans un coin de ma conscience ?

Brave vieux Pierre ! Nous lui avons envoyé une vraie carte de jeunes mariés, avec des tas de bises pour lui et Babette. Dès mon retour, je me précipiterai chez eux. Qui sait si l'aveugle aura retrouvé la mémoire ?

Réception chez Dawal ce soir, en notre honneur !

Délaissant les pièces modernes du building, on nous a fait descendre dans la salle souterraine. Emerveillement ! Nous nous trouvons sous une coupole d'azur, incrustée d'or et d'émaux. Des colonnades d'une finesse miraculeuse soutiennent cette architecture, digne des artistes élégants des dix-septième et dix-huitième siècles. Le sol, en mosaïque d'or est fleuri de tapis. Au centre de cette salle, le miroir mouvant d'un bassin reflète une lumière diffuse, née de lui seul. L'effet est extraordinaire. On ne voit aucun appareillage électrique. Tout est dissimulé, comme au théâtre. Le décor n'est-il pas d'ailleurs un peu théâtral ? Un peu trop exposition exotique ? Je pense à ces « manoirs gothiques » que font élever chez nous certains mercantis retirés.

Nous avançons, Anne-Marie et moi, sous un vol d'oiseaux multicolores en liberté, contournant des vasques fleuries de roses et de lilas. Sur un côté de la salle, s'ouvre une loggia où quatre musiciens grattent les cordes de leurs sétâr. Un cinquième marque le rythme avec un tambour à pied. Musique harmonieuse avec quelques accents sauvages. Mais un détail me frappe : ces musiciens ont tous des verres opaques ornés de pierreries, qui leur dissimulent les yeux. Sont-ils aveugles ?

A quelques pas de cet orchestre cillé, se tient un

grand Noir, le torse nu, les jambes enfouies dans de larges pantalons bouffants d'étoffe bariolée. Celui-là aussi fait « exposition ». On le croirait taillé en plein tronc d'ébène, car rien dans son visage ne bouge. Je sens pourtant ses yeux sur moi.

Enfin, voici le père Dawal. Il s'incline, main sur le cœur, plus humble et plus doux que jamais. Il est souriant et hideux. Je n'ai pas encore trouvé à quoi il faisait penser !

Il s'est emparé d'Anne-Marie qui sera la reine de la fête. Elle trône sur des coussins somptueux devant la table où l'on a déposé, à l'orientale, une profusion de plats. Avant de s'installer elle a pourtant cherché mon regard et m'a fait un sourire aigu. J'ai compris que nous éprouvions la même gêne dans ce faste un peu lourd. Très souvent nous avons des impressions identiques, des pensées semblables, comme si nous n'étions qu'un. C'est le privilège de cet amour absolu qui a cimenté nos deux vies. Voilà une réflexion qui me fait monter une bouffée de bonheur à la figure. Le père Dawal s'y trompe :

— Ce que vous admirez ici, cher monsieur Ferrand, n'est rien à côté de ce que vous verrez dans ma maison d'Enzhenar ! Cela dépasse les splendeurs de Persépolis ! Là vous aurez la révélation de la merveille. Un éblouissement que personne ne saurait imaginer !

Il nous présente ensuite aux autres invités. Quelques marchands turcs avec leurs femmes, un diamantaire hollandais, un armateur grec, marié à une Hindoue pas très jolie, et un courtier génois. Aucun Iranien. Le bouderait-on ici ?

Du côté des familiers de la maison, il y a l'inévitable secrétaire-cadenas, plus une certaine Mᵐᵉ Jaïra, que Dawal présente comme l'intendante de son domaine du Gorgan. C'est une grosse femme à la face lunaire qui fait un peu médium en état d'hypnose avec ses yeux vagues de droguée. Je l'enregistre pour la bonne règle.

Entre à présent une gamine, que Mme Jaïra est allée chercher. Type occidental celle-là. Quinze ou dix-huit ans ? Pas plus, malgré le sourire fané et le déhanchement effronté.

Le père Dawal nous renseigne :

— Je l'ai ramassée dernièrement, dans un des coins les plus sordides de Brooklyn. Elle dansait sur la table d'un bouge pour des matelots ivres ! Je lui ai promis un destin d'étoile ! Bientôt elle brillera sur un merveilleux écran. Car je suis vraiment un semeur d'étoiles, moi, monsieur Ferrand !

Je considère la pauvre gosse. Elle sue la misère de partout. Son petit visage de biquette maigre est bien ingrat. On a du mal à se le représenter, même sophistiqué, sur un écran !

— Mais regardez les yeux ! dit le nabab en extase.

C'est vrai ! Ils sont admirables. On ne voit bientôt plus qu'eux. Des flaques de ciel perçant un nuage de fumée sale !

Pour l'instant ces yeux-là dévorent ce qu'il y a sur la table. Mais un autre regard de convoitise y répond. Celui-là vient d'un garçon roux, aux yeux veloutés de fleur sombre. Encore un sauvetage du père Dawal. Le garçon, dix-sept printemps, traînait dans Soho, à Londres, quand le magnat providentiel est passé.

— Ils ont eu si faim, l'un et l'autre ! soupire le bonhomme.

Tiens ! Ce Dawal serait-il au fond une espèce de saint François ! Il caresse la joue des deux gosses avec ses vieilles mains qui tremblent.

Est-ce touchant ? Je ne suis pas convaincu. Il m'a semblé voir s'allumer dans les yeux du nabab la fameuse lueur d'ironie, remarquée lors de ma visite au *George V* à Paris. Je flaire quelque chose d'assez louche. Un peu plus loin, le visage d'Anne-Marie reflète un mélange de pitié et d'écœurement. Elle et moi voudrions être ailleurs.

A sa place, le Noir hiératique n'a pas bougé.

Mais voici qu'arrive un nouveau personnage. Dawal est très fier de nous le présenter.

— M. Jérôme. Un de vos compatriotes ! M. Jérôme se livre à des recherches scientifiques pour mon compte. Je lui ai installé un laboratoire des plus perfectionnés dans ma maison d'Enzhenar.

L'homme s'est incliné. J'ouvre la main. Lui a tendu le bout de ses doigts qu'il reprend aussi vite. Où ai-je vu cette tête-là ? Car je l'ai vue. J'en suis sûr ! Je le parierais.

A tous Dawal m'a présenté comme un écrivain qui veut se documenter sur la province du Gorgan avant d'écrire un livre. Chaque fois, la drôle de binette du secrétaire s'est éclairée d'un sourire mine-de-rien. Il m'a sûrement repéré, l'animal.

Quant à M. Jérôme, il détaille Anne-Marie avec une insistance qui n'a peut-être rien de scientifique. Lui aussi a un étrange rictus et des stigmates de drogué. Mais où ai-je vu ce gars-là ? J'allais dire ce *gibier*-là ? Jérôme quoi ?

Sur un signe impératif du maître, la statue noire a enfin bougé. L'homme vient vers nous.

— Bug est là pour vous servir, chers amis, déclare Dawal.

Puis il commente d'un ton badin :

— Bug est notre « maître Jacques », comme on dirait en France, n'est-ce pas, monsieur Ferrand ? Il cumule les fonctions ! C'est lui qui est le gardien de la fauverie à Enzhenar. Une des plus belles fauveries du monde, vous verrez cela, madame Ferrand ! L'air féroce de Bug en impose aux panthères et aux ours. Il sait aussi charmer les serpents...

Tous les regards se sont portés curieusement sur le

géant d'ébène. Dawal qui veut amuser ses hôtes continue :

— Bug est aussi un maître d'hôtel stylé. Il sait conduire une voiture et même jouer de la trompette ! Mieux qu'Armstrong ! N'a-t-il pas été musicien de jazz à Londres et à Paris ? Il aurait pu y faire fortune s'il n'y avait pas eu le poker et le 421 ! Pourtant, Bug ne manquait pas de moyens pour se concilier la chance : il fut autrefois, dans son Afrique natale, grand sorcier de la tribu ! Hélas, un sorcier plus fort lui a pris son amulette !

Devons-nous rire ? Sans doute, puisque Mme Jaïra, le secrétaire et M. Jérôme s'esclaffent. Les Turcs ont ri de confiance. Le Hollandais se sert du caviar, le Génois pique dans un plat de poisson à la sauce korech.

Anne-Marie et moi avons souri à Bug, mais nous rencontrons un visage aussi expressif qu'une plaque de goudron. Cela me fait penser à l'impassibilité de ces bourreaux numides qui appliquaient autrefois la justice tranchante du sultan !

Drôle d'évocation devant un aussi savoureux repas ! Je me régale de chirbine-polo. J'aime ce mélange d'amandes, de safran, de poulet et de riz. Un riz aux grains longs et qui roulent. J'apprécie moins certains gâteaux où toutes les essences de fleurs se sont donné rendez-vous. Un plat pour abeilles ! Mais Mme Jaïra insiste. Elle prend des airs attendris de bonne nounou !

— Mme Jaïra les a confectionnés spécialement pour nos deux Parisiens ! déclare Dawal.

En voilà une idée ! Les autres vont nous les laisser maintenant pour se taper les fruits. Des melons et des raisins qui me faisaient envie ! La grosse lune me passe à nouveau ses savonnettes. Elle m'en fait tomber dans l'assiette comme pour un escadron ! Et elle minaude, la coquine :

— Avec de l'eau très froide, c'est délicieux, n'est-ce pas ?

Merci bien pour la flotte ! Surtout quand elle est servie par le bourreau de bronze. Il s'est penché au-dessus de moi, tenant sa cruche emperlée de rosée. J'ai senti son souffle dans mes cheveux. J'ai cru aussi l'entendre prononcer un mot. Quelque chose comme : Matchiche !

Pourquoi matchiche ? Que vient faire cette danse 1900 ? Bug a-t-il voulu par là évoquer le « gay Paris » ?

Stoïquement je bois ma rasade. Ah ! qu'elle est froide cette eau ! Et puis l'eau, hein ? Elle n'est jamais que ce qu'elle est !

Non mais... la mère Jaïra ne va pas revenir avec son plateau ? Cette fois elle abuse, la miniature ! Si je pouvais le faire basculer...

Gagné ! Mais je n'y suis pour rien. Un carambolage avec Bug autour de la table. Le Noir a heurté le plateau au passage et les galettes sont allées valser ! Mme Jaïra jette des cris de cacatoès en colère. Dawal s'excuse piteusement :

— Demain on vous en fera d'autres.

Anne-Marie me coule un regard de biais. Elle réprime un fou rire. J'ai dû avoir une drôle de bouillotte avec mes galettes. Le fou rire me gagne. Il faut le combattre. Je ne veux pas vexer ces gens. Pensons à des choses sérieuses, graves, tristes même si j'en trouve... En cherchant bien... Tiens ! Oui : les musiciens là-bas, dans leur niche à arabesques. Et voici que mes yeux ne les quittent plus. Je me demande où sont les leurs ? Serait-ce derrière ces verres coloriés qui les masquent ? Pour quelle raison ? Non : ces gens-là n'ont pas de regard. Leurs visages sont étrangement mornes. Rien n'y vit. Et c'est d'autant plus extraordinaire que leurs mains s'agitent sur des cordes vibrantes. J'en éprouve un malaise. Je préfère ne plus les voir.

A table, Dawal soutient une conversation avec le Hollandais qui sourit et secoue la tête, en signe de dénégation polie. Puis il ponctue, d'une voix grasse et placide :

— Non, cher monsieur Dawal. On ne saurait prendre ces suppositions-là au sérieux. C'est de la fantasmagorie ! De la magie ! Au vingtième siècle, tout de même...

— Je sais bien ! Personne ne veut plus croire à ces choses-là ! répond Dawal devenu très mélancolique. Et cependant !... L'homme n'a pas tout conquis. Ni tout compris ! Il existe encore des domaines où l'on ne pénètre pas avec des sondes, des microscopes et des turboréacteurs. D'où vient que, malgré le progrès mécanique, scientifique, il existe des faits que l'on ne peut expliquer ? A-t-on jamais pu savoir ce qui s'est passé réellement à Barhein, quand deux avions, coup sur coup sont tombés à la mer, au même endroit, — comme si le premier avait attiré l'autre dans sa catastrophe ? Oui, on a dit : « Coïncidence tragique. Balisage défectueux. Vent de sable ! Courant magnétique. » Mais... qui provoque ce vent de sable ? Qui donc affole les boussoles et dérègle les appareils les plus perfectionnés ? Des impondérables, allez-vous répondre. Moi je vous dis : les djinns !

— Mon cher Dawal, vous êtes un poète ! lance le Hollandais.

— Un poète, si vous voulez. Mais qui a surpris bien des choses. La présence d'êtres immatériels en certains endroits de la terre est pour moi incontestable. Car je les ai surpris ! Oui ! Ne riez pas. Je les ai surpris dans une gorge de montagne. Ils y cherchaient refuge. Des hommes les ont gravement dérangés, en défonçant partout le sol pour y trouver

l'or noir. Les djinns ne sont pas des esprits bienfai-
sants. Ils pratiquent la vengeance. Malheur au
voyageur qu'ils surprennent seul, au volant de sa
voiture, sur une piste en lacet. L'homme et sa
machine sont infailliblement attirés au gouffre. Et
après... ce qu'ils en font... mieux vaut l'ignorer
toujours.

Les yeux rougeoyants du vieux Dawal se sont
étrangement dilatés. Rêve-t-il ?

Soudain, son doigt à l'ongle exagérément long,
pointe droit sur moi :

— Je vous fais sourire, cher monsieur Ferrand !

— Excusez-moi. Je suis très sceptique. Bien
qu'admirant les antiques légendes et les symboles
qu'elles contiennent, je me refuse à donner dans ces
superstitions d'un autre âge. Je vous accorde qu'il y
a encore bien des phénomènes inexpliqués. Mais
rassurez-vous : l'explication viendra ! On a déjà
capté les ondes, désintégré l'atome, exploré le
cosmos. On arrivera bien à les mettre en boîte, vos
djinns !

Ma boutade est retombée comme une fusée qui
rate. Les musiciens se sont tus depuis un moment. Ils
ont quitté leur niche sans qu'on s'en aperçoive. Je
n'ai plus envie de parler. Un silence descend le long
des parois de faïence. On dirait un rideau aux mille
plis enveloppants.

Alors une voix murmure :

— Non. On ne peut pas nier la démonologie !

C'est Jérôme qui dit cela. Il tient ses paupières à
demi fermées. Son menton gras, baissé sur le
plastron de la chemise, accuse des plis mous. Avec
ses joues tombantes il me fait l'effet d'un lampion
mouillé.

Mais j'aperçois aussi le trouble d'Anne-Marie.
Allons bon ! Ces sottises vont l'avoir impressionnée.

Ne va-t-elle pas être à nouveau assaillie par des pensées... des souvenirs ?...

Il est temps de prendre congé.

Ouf ! Nous avons retrouvé notre chambre d'hôtel avec sa banalité rassurante.

Mais pourquoi ai-je constamment la sensation de vivre un rêve ?

Une bonne douche va chasser les brumes de cette extravagante soirée.

C'est Anne-Marie qui a commencé à rire. Un rire qui la secoue, roule dans sa gorge comme un sac de cailloux.

Affalé dans un fauteuil voilà que j'en fais autant ! Nous rions maintenant à en pleurer ! A en étouffer ! Mais de quoi rions-nous ? Et pourquoi ? Nous serions bien en peine de le dire.

Nous rions sans gaieté, d'un rire spasmodique, qui devient de l'angoisse.

Que signifie cela ?

*
**

— Hello ! Ferrand ?
— Doug ! Alors ça !...

D'un coup de frein sec, il a arrêté sa Dodge en pleine avenue Ferdusi. Malgré les gros sourcils de l'agent circulatoire !

Je m'insère vivement par la portière entrouverte et la voiture repart.

Doug Horner ! New York il y a deux ans ! L'affaire des faux dollars. Mon copain, reporter à la radio qui nous présentait. Nos bonnes soirées à Greenwich Village, les championnats de base-ball, les lumières de Broadway...

Ces images, ranimées par le déclic des souvenirs, tournent en même temps dans nos deux crânes, nous font un sourire identique de joyeuse cordialité. Enfin les questions fusent, se croisent :

— Alors, Doug ? Toujours dans les rouages du State Department ?

— Qu'est-ce que vous fabriquez ici, Robert ? Balade ou pistage ?

— Ma foi... je n'en sais trop rien !

Ma réponse le surprend visiblement mais il n'insiste pas. Il m'apprend qu'il est depuis quelques mois attaché à l'ambassade américaine pour établir certains contacts culturels. Je suppose que cette « culture » doit avoir un arrière-goût de pétrole et, moi non plus, je n'insiste pas.

La vue de cette bonne vieille bouille d'Amerloque à côté de moi me fait un plaisir tout particulier ce matin. La soirée sous la coupole d'azur me pèse encore sur l'estomac.

— Vous avez l'air dans le déprimé, *old boy !*

Là-dessus, Horner décide de m'emmener vider un drink dans un club privé où se retrouvent des Occidentaux et quelques Iraniens de marque.

— Ils ont ici un William Lawson's qui va vous remettre dans l'assiette.

Brave Doug ! Il a dit vrai avec son accent et son français drôles ! La bonne rasade du whisky s'épanouit comme un chaud bouquet dans ma poitrine. Si cela pouvait dissiper la brume qui me brouille l'intellect !

Doug est tout excité de notre rencontre sur ce méridien. Il me confie qu'il est marié depuis six mois et que sa femme est avec lui à Téhéran. Je dis : « La mienne aussi ! » Il s'exclame.

— Formidable ! Il faut qu'elles se connaissent les deux ! Demain nous dînons tous !

Son invitation est ponctuée de cordiales bourrades.

— Impossible, Doug ! Demain nous partons pour

Enzhenar dans le Gorgan. Nous sommes conviés là-bas par un des plus riches propriétaires de la contrée. Vous n'êtes pas sans en avoir entendu parler. Il fait pas mal d'affaires avec votre pays. Un nommé Dawal.

Doug grimace comiquement et pointe son index sur sa tempe avant de me répondre :

— Dawal ? Oui ! Un vieux. Pas beau ! Il est un tout petit peu... comment dites-vous ?...

— Un peu branque ?

— Oui... du genre lunaire... vous voyez ?

— Très bien. C'est ce qu'il m'avait semblé.

Doug continue :

— Curieux bonhomme ! Vous êtes à travailler pour lui, Ferrand ?

— Oui et je suis un peu dans le cirage. Si vous aviez quelques tuyaux...

— O.K. ! Faites des questions.

— Merci. Origine du type ?

— Un véritable conte oriental, mon cher ! Mais possible qu'il soit inventé par de vilains jaloux, concurrents d'affaires qui n'ont pas la chance. Car, la chance, c'est votre Dawal qui l'a dans sa poche ! Oui, sous la forme d'une pierre extraordinaire, sorte de... d'aérolithe tombée de la lune. Ce caillou très noir, Dawal l'aurait trouvé dans la haute montagne, quand il était, lui, un gamin misérable et appartenait à un riche marchand de Chiraz. Dans ce temps-là on achetait encore très bien les esclaves, comme nous aujourd'hui des machines à laver !

« Eh bien, le marchand iranien fit l'acquisition de votre Dawal dans un port égyptien. Mauvaise affaire ! Le sujet était paresseux et joueur. Tout il jouait ! Ses vêtements, sa ration de riz, celle des autres et aussi les quelques pièces de monnaie données par le bon maître. Dans cette époque... vous dites... pittoresque... on partait encore en caravane, avec des chameaux, sur la route des épices et de la soie... Dawal servait les chameliers pour soigner les bêtes.

« Mais voici le merveilleux : avec sa pierre noire et aussi — là ce sont les plus méchants qui disent la chose ! — et aussi pour avoir fait un pacte avec Arhiman, le démon comme vous savez, voici que Dawal se met à gagner à tous les coups, gagner toujours ! Et bientôt il se rachète. Il concurrence son maître et le ruine. Après c'est une montée en flèche. Il crée des comptoirs, fait des affaires avec des réussites miracles ! Des centaines de misérables travaillent pour lui dans des mines, dans des rizières, des champs... Un vrai seigneur il devient votre Dawal. Et lui s'en va miser sur tous les tapis verts du monde entier ! Cela pour la légendaire histoire.

« Mais une chose est véritable pourtant, et c'est que M. Dawal, malgré son standing, est très indésirable dans les salles de jeu — officielles, vous entendez bien ! Il a trop de fois fait sauter la banque et on l'a prié très poliment de vouloir s'abstenir. Alors, cher Bob, s'il vous proposait une partie de poker... faites le gaffe, comme vous dites en argot ! »

Sur ce mot Horner s'esclaffe. Je lui fais écho, quoique ses révélations m'aient laissé rêveur :

— Rien à craindre, Doug ! Robert Ferrand n'est pas un assez gros ponte pour l'appétit du sieur Dawal !

Tout en buvant, Doug me fait signe qu'il n'a pas fini et, son verre posé, il reprend :

— Je dois dire... cette pierre d'histoire miraculeuse... c'est peut-être inventé par le vieux renard soi-même. Avec elle il intimide les partenaires...

— A propos de pierre, Doug : avez-vous connaissance de certains cabochons, taillés dans du cristal et que le vieux aime à manipuler, à exhiber ?

— Probable des cailloux de la montagne qu'il croit, lui, magiques ! Parce qu'il pense beaucoup de la magie ! Comme exemple les djinns ! Il n'a rien parlé déjà sur les djinns avec vous ?

— Mais si ! Hier soir il nous a raconté de drôles d'histoires sur ces charmants lutins qui font basculer les voitures...

Horner lève les bras et s'exclame :

— Les voitures ! L'affaire des voitures ! Je me doute que c'est la raison pourquoi vous êtes ici. Il y a eu déjà plusieurs fois enquête, mais rien pour résultat.

Pour le coup je me sens vraiment dérouté, mais je cache ma perplexité sous un air entendu. Usant d'un biais assez pauvre j'interroge :

— Vraiment, on n'a pas pu savoir...

— Mais comment voulez-vous que l'on y arrive de retrouver quoi que ce soit dans des gouffres tellement creux ? Il n'y a rien à récupérer de la voiture ! Elle est un tas de ferraille douze cents mètres plus bas. Et... du conducteur... s'il en reste... il y a les vautours.

Doug laisse passer un silence, fortement évocateur, puis il redemande des scotches.

L'affaire Dawal commence à m'intriguer pour de bon. Afin d'exciter Doug à poursuivre ses confidences, je murmure :

— Qui sait s'il n'y a pas chez ce bon Dawal, un djinn assez calé en mécanique pour dévisser des boulons ou trafiquer une direction ?...

— Qui sait, oui, cher Robert ? Pas mal de voitures, très bonnes et même américaines ! sont tombées depuis quelque temps dans les fonds de la montagne ! Toutes, elles revenaient d'Enzhenar ! Les pistes sont terribles, mauvaises ! Lacets tout le temps ! Oui mais... tout de même ?... Le dernier homme qui s'y est tué, était juste un compatriote pour vous ! Un peintre. Le père Dawal l'avait demandé plusieurs mois chez lui pour décorer dans son palais. Car cette maison est — certains disent — un palais digne de Darius ! Ce vieil affreux bonhomme aime entourer sa laideur dans du luxe fabuleux !

Tout en écoutant mon Américain, je passe intérieurement en revues les binettes que j'ai classées hier parmi les pas franco : le secrétaire-cadenas, le Jérôme, le bourreau noir...

Lequel de ces trois lascars ? Peut-être bien les trois ensemble ?

Horner s'est mis à rire.

— Je vois que vous êtes flairant, vieux Bob ! Si j'ai pu servir pour vous, je suis enchanté. Utilisez de moi tant que vous voudrez !

Subitement, je viens de prendre une résolution.

— Merci, Doug ! J'utilise tout de suite ! Je n'emmènerai pas ma femme à Enzhenar. Je vais vous demander, pendant les quelques jours que pourrait durer mon enquête, de bien vouloir, avec Mrs. Horner, vous charger d'Anne-Marie ?

— Mais en grand plaisir ! Nora sera très heureuse de faire une chose pour un ami de moi !

Nous quittons le club. L'alcool m'a remis d'aplomb. Horner, après quelques pas, s'arrête, me prend le bras.

— Je dois finir le portrait de votre Dawal, mon cher. Après dire le mal, il faut dire le bien, n'est-ce pas ? Ce bonhomme fait aussi le bien. Peut-être pour se racheter du jeu et qu'Ahura Mazdâ lui pardonne ? Mais ce vieux forban a fondé, à Enzhenar, une colonie d'aveugles.

— D'aveugles ?

La surprise m'a fait crier. Je revois les musiciens d'hier, ceux qui jouaient pendant le festin sous la coupole bleue. Et voici qu'une autre image passe, fulgurante, telle un flash de photographe. Visage tragique, paupières fripées sur du vide...

Que vient faire cette évocation ? A coup sûr elle est gratuite. Je la repousse pour écouter Horner qui continue :

— Les aveugles forment un village entier. Ils sont là chez eux. On les a recueillis ailleurs, puis amenés pour être... vous dites rééduqués... et pouvoir se livrer à des travaux qui leur font gagner leur vie...

— Vous avez visité ce village, Doug ?

— Non. Il est dit que les visiteurs ne sont pas trop reçus. Le vieux Dawal déclare que ses protégés ne sont pas des bêtes pour les curieux et que cela vaut mieux de n'avoir pas à troubler leur paix. Peut-être il pense là-dessus très juste ?

Evidemment... c'est ce que je me répète à présent, tout en regagnant Eslâmbul où se trouve le building du magnat.

Doug a renouvelé en me quittant sa promesse de venir avec sa femme dès demain, prendre Anne-Marie sous leur aile. Je ferai seul l'excursion à Enzhenar.

Ça y est ! Je viens de trouver ! Jérôme !

Il y a une dizaine d'années, un certain Jérôme Denis, préparateur en pharmacie ne fût-il pas compromis dans une affaire d'empoisonnement ? Il s'en tira au bénéfice du doute, avec le minimum et une interdiction de séjour !

Cela commence à valoir le déplacement !

CHAPITRE VII

C'est donc en avion que nous allons faire le voyage à Enzhenar ! Dawal se méfierait-il des djinns déboulonneurs ? Il préfère les chemins de l'espace aux pistes bordées de ravins trop profonds.

L'appareil est piloté par le secrétaire-cadenas. Toujours aussi cadenassé. Je pense pourtant que le drôle n'aurait pas intérêt à mélanger les commandes.

Le bourreau noir, l'honorable Jérôme et l'opulente Mme Jaïra, sont repartis dès le lendemain du dîner. Mme Jaïra, surtout, était chargée de préparer pour Anne-Marie une réception digne d'une souveraine régnante.

C'est ce que me confie Dawal sur l'aérodrome, avec presque un sanglot dans la voix, lorsque je lui annonce que ma femme, fatiguée n'a pu m'accompagner.

Depuis il se renfrogne. Il me fait même un tantinet la gueule. Ce qui ne le rend pas plus joli. Pour une fois la pierre noire a joué contre lui. Pas de veine ! Il restera sur ses galanteries !

L'avion prend de l'altitude. Je me sens toujours dans cet état cotonneux, cet état de rêve éveillé, duquel la rencontre de mon ami Horner m'avait un instant sorti. Qu'est-ce donc qui m'y a replongé ?

Pour le moment je n'ai rien d'autre à faire qu'à regarder la topographie des régions survolées. Montagnes à pic, aux parois vertigineuses. Il ne doit pas faire bon être suspendu à une de ces murailles sans issue. Quant à la teinte, elle me paraît plutôt sinistre. Du noirâtre, du gris plombé, ou encore une drôle de couleur vinasse ! Il paraît que sur l'autre versant c'est un enchantement de verdure. J'aimerais connaître cet étrange pays, mais en touriste, en ami. Dommage d'y être venu pour y rencontrer un Dawal !

Qu'est-ce qui scintille là-bas sous le ciel glacé ? C'est blanc à l'infini. Blanc sans limites. Pardi ! ce doit être un *lout, ou kévir,* ces fameux déserts de sel, où seuls, la peur et le vent ont habité durant des siècles. La peur, le vent et... les djinns ! Vu de l'avion on dirait une mer pétrifiée. Je pense aux caravanes qui s'y aventuraient...

Dawal me sort de mes songeries. Il a digéré sa déception. Le voilà tout souriant, avec un superbe étui à cigarettes, — or serti de rubis — qu'il me tend grand ouvert. D'un geste machinal je vais me servir, puis un réflexe me fait repousser l'offre.

— Merci. Je ne fume pas pour le moment.

Je viens même de prendre la résolution formelle de ne plus toucher à aucune des cigarettes que l'on me présentera. Ce tabac ne me convient pas. Il m'alourdit le cerveau.

— Vous réfléchissez terriblement, monsieur Ferrand ! susurre Dawal d'une voix avenante, en rentrant son étui sans consommer lui non plus.

Je lui réponds, pas aimable :

— C'est mon métier.

— Oh ! je vous fais confiance ! Vous aurez très vite la clé de tout !

Là-dessus, il a un petit rire de mécanique détraquée.

Je veux profiter de sa bonne humeur revenue pour tenter ma chance.

— J'aimerais bien, monsieur Dawal, visiter cet endroit, où l'on m'a dit que vous recueillez de malheureux aveugles.

— Je n'ai rien à vous cacher, mon très cher ami. D'ailleurs, il faut avoir vu le village des aveugles pour mieux apprécier et comprendre la « merveille » d'Enzhenar !

Il rit encore une fois, comme s'il venait de dire une chose extrêmement comique. Décidément, je commence à croire sérieusement que le bonhomme est un peu touché de lune !

Un voyant s'allume.

— C'est pour que nous mettions les ceintures, dit Dawal. Nous allons atterrir sur ma piste privée. Vous êtes en ce moment dans mon ciel, cher monsieur Ferrand ! Bientôt vous pénétrerez dans mes domaines. Quel dommage que votre ravissante femme ne vous ait pas accompagné. Mais je ne me tiens pas pour battu ! Jamais je ne l'ai été. Vous saurez bientôt que je gagne toujours !

— Grâce à la pierre noire, n'est-ce pas ?

Je prends le parti de rire, mais j'ai senti là une vague menace. Il a accusé le coup sur « la pierre noire ». Ses yeux m'ont vrillé. Va-t-il avoir peur que je lui fauche son fétiche ? Il me fait l'effet d'un vieil épouvantail.

Pendant ce temps le pilote a réussi son atterrissage. Nous roulons à présent sur la piste, puis l'appareil s'immobilise. Le silence qui succède au bourdonnement de l'avion arrêté, est impressionnant. Un silence de fin du monde ! De partout la montagne nous enserre, telle une mâchoire titanesque prête à broyer. Le secrétaire-cadenas a un petit air de se marrer en dessous qui provoque en moi un espèce de déclic. Une veilleuse qui s'allume ! Un peu tard, mon Robert ! Mais puisque nous y sommes, allons-y pour les visites ! Il faut toujours chercher à s'instruire !

Instinctivement, ma main a glissé au fond de la poche de ma gabardine. L'acier froid que je touche est plus réchauffant pour l'esprit que le paysage alentour. Dawal a-t-il remarqué mon geste ? Ses yeux ont un peu vacillé. Est-ce que je deviendrais trop nerveux après m'être senti trop mou ?

Mais voici des maisons de pisé aux toits plats de chaque côté d'une ruelle. Une seule et unique ruelle qui ne mène nulle part. C'est ici la cité sans regards. Le village des aveugles !

Des hommes ? Des femmes ? Non. Des apparences d'hommes et de femmes. Plutôt des ombres. Les visages sont sans expression. Mornes ! Figés !

Un long moment je suis resté devant un moulin à huile où six à sept malheureux types attelés, tournent la lourde meule.

— Il n'y a donc plus de chameaux ou de mulets pour faire ça ?

— Mais, cher monsieur Ferrand, ne vous étonnez pas ainsi. Nos pensionnaires restent peu de temps à la meule. Ce sont leurs débuts. Nous en faisons ensuite des tisserands, des musiciens, des briquetiers...

En effet, j'ai vu tout cela. Mais j'ai cherché en vain, dans cette activité qui devrait être saine, le reflet d'un sourire, un peu de sérénité. Or quelque chose semble avoir été effacé sur ces figures humaines. Effacé comment ? Et pourquoi ?

Pourtant je me souviens d'avoir visité des instituts d'aveugles. On y surprend des rires, des chansons, de l'espoir. Ici ?... Non, je ne peux pas exprimer ce que je ressens.

Le secrétaire-cadenas qui nous précède, jette des ordres à quelques surveillants aux mines farouches.

— Il faut les encadrer, n'est-ce pas ? susurre

Dawal. Vous voyez là d'anciens bergers, habitués à la solitude des montagnes.

Ces « anciens bergers » feraient plutôt penser à d'anciens pilleurs de caravanes.

Drôle de bonne œuvre !

Cependant, ces malheureux n'ont pas l'air de sentir leur misère. Plus que résignés, ils paraissent indifférents. Il y en a que l'on fait rentrer précipitamment à notre approche. J'ai quand même pu apercevoir certains types qui n'ont rien d'oriental.

— La misère est de partout, n'est-ce pas ? soupire Dawal qui a tiqué.

— Mais comment ces gens-là sont-ils parvenus jusqu'ici ?

— Oh ! cela me coûte très cher !

Le bonhomme dit cela avec un accent parfait de modestie, comme l'on s'excuse d'une bonne action.

J'en veux savoir davantage :

— Et... lorsqu'ils ont appris un métier ? Lorsqu'ils sont aptes à gagner leur vie ? Les remettez-vous dans le circuit ?

— Ils n'y pensent pas ! ricane le secrétaire-cadenas.

— Mais... s'ils y pensaient ?

Et j'ai soudain la révélation. Devant nous, accroupi sur une pierre, se tient un être sans âge, auquel on hésite à donner le nom d'homme. Sa main tremblotante est crispée sur le tuyau d'une longue pipe. Il fume à petits coups en salivant, avec un rire bizarre, plus triste que des larmes.

— Que voulez-vous, fait Dawal. On ne peut refuser l'oubli à ces malheureux !

L'oubli ! La drogue ! Le haschisch !

Singulière conception de la philanthropie ! Mais alors je n'y comprends décidément plus rien. Car enfin, si Dawal — comme je le soupçonnais il y a un instant — veut tirer profit du travail de ces miséra-

bles, pourquoi laisse-t-il la drogue user leurs forces ?
Car ils ne doivent pas résister longtemps. C'est une
perte d'énergie et... de main-d'œuvre.

A quoi sont-ils condamnés ?

Plongé dans ces réflexions, je n'ai pas remarqué
que nous avions passé une voûte creusée dans le roc.

C'est à partir de là que doit commencer le
paradis !

Est-ce toujours le rêve qui se poursuit ? Quand a-
t-il pris naissance ? Je n'en sais plus rien. Etait-ce à
mon arrivée à Téhéran ? Etait-ce au départ de
Paris ?

J'ai conscience, malgré tout, de me trouver dans
un climat irréel, où l'insolite remplace le sens
habituel des choses.

Ce bonhomme sautillant qui marche devant moi,
m'entraîne parmi des allées aux dalles multicolores.
Je suis dans un jardin ciselé comme un bijou. Jamais
je n'ai vu d'arbustes de ce vert, des roses de ce rose,
ni d'eau si étincelante dans ces bassins d'albâtre, de
faïence ou de marbre. Partout des fontaines. Partout
des tapis de mousse fraîche, partout des fleurs en
grappes, en buissons et qui embaument !... On
respire ce parfum comme une liqueur. Je me sens un
peu saoul et je ris en voyant passer des paons qui se
dandinent. Ils m'entourent. Ils sont superbes ! Ces
blancs, là... Et ceux-ci, turquoise... Oh ! et les
autres, plus loin, d'un violet moiré... Ils me font la
roue ! Sur leur plumage étalé, je vois s'allumer des
centaines d'yeux. Des yeux ou des pierres précieuses ?

Le bonhomme marche toujours, me guidant vers
le palais dont on entrevoit les coupoles, là-bas, dans
un fond, à travers des branches aux feuillages drus.

— Régalez votre vue ! Contemplez bien toutes mes splendeurs ! dit le bonhomme. Elles vous appartiennent en cet instant !

J'avais oublié que ce bonhomme s'appelle Dawal, qu'il m'a chargé d'une mission précise et que je commence à très mal le renifler.

Le secrétaire nous a quittés. Il m'a semblé entendre démarrer une voiture. Est-ce lui qui s'en va ? Où l'a-t-on envoyé ?

Je me rends compte que je suis arrêté depuis un moment, au bord d'un bassin où l'eau est si claire, si bleue, que l'on a envie d'y plonger la main pour toucher le ciel !

Près de moi, Dawal fait entendre son petit rire de grain moulu.

— Avouez, monsieur Ferrand, qu'il flotte sur ce jardin un charme qui retient et captive ? Si je vous disais que c'est un lieu magique, je vous ferais bien rire. Et pourtant...

Ce mot de « charme » vient de provoquer en moi une vibration singulière. A peu près ce que donnerait une fausse note dans un thème musical exécuté par un virtuose.

Et voici que je me surprends à penser à Tréguer ! Je le vois, ce fakir bidon, avec son pendule, sa bouille ronde, ses yeux ingénus. Je le vois comme si les djinns ou autres esprits follets, l'avaient tout d'un coup transporté de son quatorzième, sur un tapis volant, vers ce coin perdu du Gorgan !

Il est probable que mes nerfs tendus et l'atmosphère très fluide de ces lieux escarpés, viennent de réaliser un phénomène de télépathie. Car la pensée de Tréguer est ici. Je la sens ! Tout comme il doit sentir la mienne à cette minute.

Hé ! pour un « balourdin », comme il dit, je fais des progrès dans l'astral !

— Venez voir la fauverie, cher monsieur Ferrand. Je veux que vous ayez bien tout vu !

Nous bifurquons, montons des marches jusqu'à une terrasse inondée de soleil. La fauverie est là, derrière des grilles dorées.

J'aperçois les taches fauves des panthères et celles, brunes ou grises des ours, un peu plus loin dans leur antre de rocs. Mais ce qui m'accroche surtout, c'est la vision de l'homme au torse nu qui nous regarde venir.

Voici donc M. Bug, le musicien, le bourreau noir. Son buste aujourd'hui est orné d'une écharpe brillante, vivante, aux reflets de métal. A notre approche le serpent a levé la tête et ses yeux froids nous clouent à quelques pas. Bug a sifflé deux notes brèves. Le grand ophidien ondule et se rendort.

Comme le soir du dîner le regard du bourreau noir cherche le mien, mais sans que les traits de son visage reflètent pourtant autre chose que de l'impassibilité.

— Bug — grince le vieux — j'ai interdit que l'on sorte les serpents de la fosse, sans mon ordre. Tu vas rentrer celui-là. Et tu sais ce qu'il t'en coûtera d'avoir désobéi !

Le Noir a baissé la tête. Lentement il a pénétré derrière la grille. Il s'est débarrassé du reptile qu'il a jeté dans une fosse que je n'avais pas remarquée. Ce geste a provoqué au fond de la cavité un grouillement dont on perçoit le bruit flasque. Enfin, il est revenu vers nous, toujours silencieux et muet.

Dawal, le doigt pointé sur l'homme poursuit :

— Cet imbécile croit qu'il pourra retrouver son soi-disant pouvoir de sorcier ! Pour cela il n'aurait pas fallu qu'il perde son gri-gri !

— Et pourquoi l'a-t-il perdu ?

— Parce qu'il l'a joué ! Comme les autres ! Ils jouent tous ! Et ils perdent tous ! Après cela le père

Dawal doit les protéger, les cacher de la police quand ils ont fait des sottises et les entretenir !

On dirait vraiment la mercuriale d'un bienfaiteur outragé.

Le regard de Bug s'est posé sur ma poche droite. Sans doute aimerait-il l'explorer pour y prendre ce qu'il a deviné — sans être tellement sorcier !

J'ai ostensiblement glissé ma main jusqu'au fond avant de suivre le vieux Dawal.

Derrière nous, Bug hausse les épaules.

Suis-je éveillé ? Ai-je réellement traversé ce palais enchanté, précédé de salle en salle par le bonhomme plus sautillant que jamais ?

Il me conduit maintenant à « la merveille ». Combien d'escaliers faudra-t-il encore descendre pour arriver jusqu'à cette salle souterraine, enfoncée au cœur de la montagne ? J'ai encore assez de lucidité pour penser qu'on ne doit plus y avoir aucune communication avec le monde. Néanmoins je suis, comme dans un cauchemar.

M'y voici enfin. On m'a laissé seul, afin de ne pas déranger ma contemplation. J'ai pourtant l'impression que l'on m'épie, que l'on me voit d'un coin de ce palais truqué. Je crois même entendre le petit rire de Dawal.

Pour dominer le trouble dont je me sens menacé, je m'efforce à une observation toute objective du lieu. Salle ronde, de petites dimensions, en marbre blanc, d'une pureté rare. La lumière arrive de très haut, par la coupole recouverte de laque vert pâle. Les portes sont habilement dissimulées de sorte que je ne sais déjà plus par quelle ouverture je suis entré.

Mais « la merveille » ? Serait-ce ce panneau en

feuille d'or, où sont enchâssés des cabochons de différentes couleurs ?

Je n'éprouve aucun émerveillement. Aucun émerveillement, mais cette sorte de dégoût qui m'avait déjà effleuré en voyant le vieux Dawal tripoter des cabochons identiques.

Qu'y a-t-il enfin, au fond de ces boules de cristal ? Hein ? Des cailloux maléfiques ? Qui font quoi ? Non, c'est vraiment trop bête ! Il faut savoir une bonne fois et envoyer dinguer le Dawal avec ses mystères et son entourage de tarés. J'en ai ma claque de toutes ces gueules !

Voyons ce panneau froidement, posément. Les cabochons ne le recouvrent pas entièrement mais on y a prévu leur place. La plaque d'or est emboutie d'alvéoles qui attendent...

Et soudain... Non ! je ne veux pas céder à cette angoisse sourde qui monte au long de mes membres comme une pieuvre aux tentacules glacés. JE NE VEUX PAS COMPRENDRE !

Et pourtant, c'est prodigieux ! Hallucinant !

Le mur regarde !

Il regarde avec tous ces yeux enchâssés dans leur gaine de cristal. Tous ces yeux que l'on a volés !

Non ! Je ne deviens pas fou ! Mes cheveux se sont transformés en autant d'épingles. Je les sens dressés sur ma tête. Ils me font mal ! Où sont les portes ? Je veux fuir pour ne plus voir, pour arrêter les pensées qui tournent à cent mille tours sous mon crâne ! Et cependant j'avance vers ce panneau maudit. Il faut se rendre compte ! Etre sûr avant de divaguer.

Qui sait si mon hôte ne m'inflige pas une épreuve ? Si je ne suis pas l'objet d'un jeu, un peu cruel, mais d'un jeu tout simplement ? Les Orientaux aiment à créer des mirages. On a voulu savoir jusqu'où irait mon imagination, et aussi... ma sottise ? Pardi ! c'est cela ! Et tout à l'heure nous en rirons !

Je m'approche de quelques pas... j'approche encore... Je suis maintenant si près que je pourrais distinguer les traces de mon souffle sur le reflet de l'or qui ternit.

Oui ! Oui, l'évidence m'éclate dans la tête ! Plus aucun doute : au milieu des cabochons ce sont bien des iris ! Ce sont bien des yeux ! Des yeux humains qui reflètent la lumière. Une lumière qu'ils ne reverront jamais plus !

La sueur me perle aux tempes. Je ne peux pas hurler...

— C'est du joli travail, n'est-ce pas ?

D'un bloc, je me suis retourné. Jérôme, tout souriant, est là, en blouse blanche dans l'encadrement d'une porte que je n'ai pas entendu s'ouvrir.

Je me sens furieux. Vexé de mon désarroi. Humilié d'avoir si bien marché dans cette stupide farce que l'on m'a faite. Il faut que je passe ma rage sur quelqu'un :

— Du toc, ce panneau ! Du tape-à-l'œil, si l'on peut dire ! N'est-ce pas, monsieur Jérôme Denis ?

— Hé ! vous avez de la mémoire, mon petit détective !

Le ton railleur de l'homme me remet en défiance. Mais Jérôme enchaîne se faisant soudain très bénin, très vieux philosophe :

— Bah ! ici, je n'ai guère à craindre les indiscrétions. Pas plus que les souvenirs ! Mais vous plairait-il de passer dans le laboratoire ? Le maître désire que nous ne vous cachions rien.

Je le suis. J'éprouve un soulagement en voyant se refermer la porte sur la rotonde aux cabochons.

Important le laboratoire ! Il est en deux parties, séparées par une cloison vitrée. Dans la plus grande, des aides, tout de blanc vêtus, s'occupent à des besognes minutieuses et précises. Tout ceci tient plutôt de l'usine chimique. On y doit fabriquer une drôle de cuisine !

La partie plus étroite où me reçoit Jérôme, ressemble davantage à un laboratoire de recherches.

Au fond, sur une table de marbre, j'aperçois des instruments chromés, des flacons et aussi je ne sais quoi de blanchâtre, de globuleux que je ne distingue pas très bien.

Jérôme d'ailleurs, m'a fait asseoir assez loin. Son teint brouillé d'intoxiqué paraît encore plus sale sur la blancheur de la blouse. Je remarque le tic qui fait sauter sa lèvre supérieure et le tremblement du menton à la chair molle. D'un geste l'homme s'excuse, prend à même un bocal une pincée de poudre blanche qu'il s'introduit dans les narines. Je lui dis : « A la vôtre ! »

Il sourit, me tend le bocal.

— Non, merci. Pas envie de goûter à votre fabrication.

— Dommage ! Cela donne de la lucidité. Vous en aurez besoin.

Il a reposé le bocal et s'est assis pas loin de moi, sur un tabouret laqué. Ses épaules me cachent la table de marbre. Je commence à faire sérieusement travailler mes méninges.

Mon vieux Robert, en acceptant de venir dans ce repaire de montagne perdue, tu as mis en plein tes gros pieds où il ne fallait pas ! Ces types-là n'ont aucun intérêt à ce que tu t'en ailles gentiment, ta visite une fois terminée, pour aller débiner leur truc et faire alpaguer les membres de leur organisation ! Il va falloir jouer serré si tu veux en sortir autrement qu'en viande froide !

Une fois de plus, ma main tâte le joujou dans ma poche. Maintenant je n'hésiterai plus à m'en servir. Mais attendons que l'occasion soit bonne, et ne nous laissons pas manœuvrer. J'ai idée que la véritable raison de ma présence dans cette caverne de forbans est encore inexpliquée.

Pour l'instant mon tricard est toujours silencieux, guettant le bon effet de sa drogue.

De l'autre côté, les aides travaillent sans piper. On entend des bruits divers : chuintements, bouillonnements, sifflements gazeux, etc. Mais il y a, venant d'un autre endroit, une espèce de grincement de poulie, de halètement doux, plutôt plaintif...

Ce n'est pas un grincement de poulie. J'écoute, le souffle suspendu. Pas de grincement de poulie : une plainte. Une plainte humaine, lancinante...

— Vous soignez des malades, Jérôme Denis ?

— Beuh !.... quelquefois... cela arrive... Oh ! celui-là se remettra. Nous allons le calmer.

— Sera-ce de la même façon qu'autrefois, à Saint-Mandé, lorsque vous « calmiez » votre patron, à la pharmacie ?

— Un âne bâté ! Il ne comprenait rien, me gênait dans mes recherches, se moquait de mes expériences. Il tremblait pour sa clientèle ! Je vous demande un peu ! De pauvres abrutis. Du tout-venant ! On pouvait bien en gâcher quelques-uns, pour parvenir à mettre au point une formule extraordinaire. Un remède fantastique avec lequel on aurait fait des milliards ! Et cette formule j'allais l'avoir, monsieur Ferrand, quand mon patron a commencé ses manigances autour de moi. Mais je le tenais ! Je savais qu'il avait une maîtresse. Il a eu peur que j'avertisse sa femme et il n'a pas osé me liquider.

— Cela eût mieux valu pour lui. Il ne serait pas mort empoisonné !

— A-t-on jamais trouvé la trace de ce fameux poison ?

Il a dit cela sur un ton de triomphe en rigolant et se tapant la cuisse comme quelqu'un qui en a fait une

bonne ! Ses yeux brillent d'un éclat suspect tandis
qu'une excitation l'agite. Il poursuit :

— Que valait la vie de cet homme borné, voulez-
vous me le dire, au regard de la science ? Que dis-je,
d'un homme ? D'un imbécile. D'un pauvre pantou-
flard, toujours plongé dans son codex ! L'humanité
ne lui devra rien !

— Tandis qu'à vous Jérôme Denis...

— Moi, je suis le porte-flambeau. J'éclaire l'avenir ! Je découvre ! J'ose ! J'ai des formules, mon cher
monsieur, qui pulvériseront les antiques pharmaco-
pées. Tout est consigné dans une série de cahiers
rigoureusement tenus à jour. On se les arrachera
lorsque je pourrai retourner en France et faire
rendre justice à mon génie.

— Car vous retournerez en France ? L'honorable
M. Dawal consentira à se priver de vos éminents
services ? Il est vrai que pour fabriquer de l'héroïne,
même clandestinement, point n'est besoin d'avoir
affaire à un génie.

— La drogue, c'est sans intérêt, mon cher. Un
moyen, entre bien d'autres d'assurer la matérielle.
Ce que je fais ici est infiniment plus passionnant.
J'applique une de mes découvertes. Je l'expérimente
pour le compte de Dawal, mais surtout pour ma
propre certitude. Il s'agit, cher ami, de la conserva-
tion à l'infini de tissus vivants. J'ai dépassé les
données de ce qui se fait de plus moderne. La
solution de mon liquide gélatineux est proprement
miraculeuse. Je vais d'ailleurs vous en indiquer le
processus...

Tandis que le misérable fou poursuit son invrai-
semblable exposé, je me sens repris par le malaise
qui m'étreignait devant les cabochons de cristal. Je
me lève. Mon regard plonge sur la table de marbre.
Les... choses globuleuses y sont toujours.

— Vous n'allez tout de même pas me dire que ce

que j'ai vu dans cette salle à côté, incrusté dans le panneau d'or...

— Sont des yeux? Mais si, mon cher! Des yeux conservés! Des yeux qui grâce à moi, brilleront éternellement au lieu d'aller pourrir sous la terre!

Il s'est levé lui aussi. Son visage de lampion mort est hilare. Du doigt il me désigne ce qui se trouve sur la table de marbre :

— Deux jolies pierres brunes à ajouter à la collection de l' « homme aux mille et un regards » !

Une vague de fureur me monte à la tête. Vais-je abattre ce type dès maintenant? Le transformer en passoire avec mon pétard, en attendant de m'en prendre à Dawal et de l'écraser, celui-là, comme un scorpion?

Mais autre chose m'attire. Ce bruit que j'entends, ce gémissement sans fin qui m'est devenu intolérable. Cela vient de derrière une porte que je n'avais pas vue en entrant. D'un bond je m'y trouve. J'ouvre et je vois!

Sur un lit de sangle, une forme mince est agitée de soubresauts. Un corps d'adolescent. Des cheveux roux. Un bandeau cache le haut de la figure. Malgré cela je reconnais le jeune Anglais de l'autre soir. Celui que le *bon* Dawal soustrayait il y a peu de jours à la misère de Soho, à Londres...

De ce matelas où le gosse gémit, ma pensée va à la table de marbre. Je suis pris d'une nausée, puis d'une rage meurtrière. En trombe j'ai repassé la porte, fonçant vers Jérôme que je ne vais pas rater.

Bing! Un choc violent à la tête. Je descends... Je descends dans le noir...

CHAPITRE VIII

Chuchotements et rires aigus! Suis-je dans ma chambre à Paris? Le cauchemar me tient toujours terrassé sous son genou étouffant. Je ne peux ni me retourner, ni bouger.

Non, je ne suis pas dans ma chambre. Alors, où? Au cœur du néant? Mais ces rires? Le néant est donc habité? D'affreuses larves sont-elles en train de me dévorer? Ou de me métamorphoser? Il se passe autour de moi une alchimie bizarre...

Et cette voix? D'où vient-elle? Elle est si faible, si lointaine, qu'elle a l'air d'avoir des mondes à traverser avant de me parvenir. Je la connais, mais pour l'instant elle est sans nom et sans visage.

— Robert! Vieux pote! Il t'a plongé dans un sommeil magique, le salaud! Mais lutte, mon vieux! Cramponne-toi!

J'entends les mots mais leur sens m'échappe. Tout m'échappe. Mon corps n'est plus rien. Je flotte dans une zone irréelle, intemporelle. Me voici comme le vent qui pleure sous les portes.

— Robert! On va te rattraper! Tâche de comprendre!

Comprendre quoi? On ricane. Je vois bouger des flammes. Elles sont petites, avec des formes biscornues. Elles deviennent des êtres à faces blêmes, aux yeux incandescents. On ne doit rien rencontrer sur

terre d'aussi livide que ces figures-là ! C'est que je ne
suis plus sur terre. Où m'a-t-on plongé ?

— Robert ! L'aveugle a retrouvé la mémoire. Il a
tout dit ! On s'occupe du Dawal ! Hier soir je suis
tombé dans leur sale turne. Ils m'ont fait aux pattes,
mais...

La voix s'est affaiblie. Ou bien c'est moi qui
n'entends plus. Pourtant je ne suis pas mort. Mon
cerveau travaille. Il m'envoie des sensations, des
images...

— Robert ! Pense à ma vieille Tomasina. Elle
nous aide ! Son esprit est avec nous contre les forces
noires. Elle prie pour nous la Lumière des
lumières...

Chaque fois la voix pénètre comme une onde
chaude, mais chaque fois elle se perd. Je suis
terriblement fatigué, sous l'effet d'une sorte
d'absorption, comme si un vampire me pompait le
sang.

On me touche au front. Un doigt mince, terminé
par un ongle aiguisé. La voix s'est éteinte. Rien ne
me parvient plus. Je baigne maintenant dans une
lumière étrange. Morne. Sans chaleur. Plus inquié-
tante que l'obscurité des nuits terrestres. Elle est
dévorante comme un horizon vide. Si elle allait être
sans fin ?

Pourtant une ombre y plane. Très haut. Celle d'un
oiseau. Il descend, les ailes éployées, le bec vorace.
Je sens le vent que font ses plumes serrées. C'est un
vautour ! Sur quelle proie s'est-il abattu ?

Il est là. Il me regarde. Mais il est devenu un
homme. Un petit vieil homme noir qui sourit. Qui
sourit ignoblement !

Les monstres blêmes se sont groupés autour de
lui. Je les entends qui chuchotent : « Dawal, maître
des djinns ! Le maître ! Notre maître ! »

L'homme jongle avec des pierres étincelantes qu'il

projette sur un écran noir. Les pierres se fixent à l'écran et me regardent. Je pressens quelque chose d'horrible. Je veux me redresser ! Fuir ! Mais je suis retenu. L'homme me présente ses mains ouvertes sur deux cabochons d'un bleu adorable, que je connais bien. Ils ont la couleur du bonheur de ma vie ! Non, non ! Cela ne peut pas être les yeux d'Anne-Marie !

— Deux jolis bijoux, n'est-ce pas, cher ami ? Et qui orneront le panneau d'or que vous avez admiré, lorsque la ravissante Anne-Marie aura consenti à me les donner. Par amour !

Je m'entends crier :

— Non ! Je ne veux pas de ce sacrifice ! Prenez ma vie, mais ne touchez pas à ma femme !

Un rire abominable me répond :

— Pauvre benêt ! Il se croit, lui, l'objet d'un pareil amour ! Ainsi, malheureux limier sans prestige, occupé à négocier ta marchandise courante, comme d'autres vendent leur macaroni ou leur calicot, tu penses avoir réussi à subjuguer l'esprit, l'âme et les sens de cette créature édénique ? Ce n'est pas à toi qu'elle offrira la lumière de ses prunelles. Tu sais bien qu'elle a un maître et qu'elle porte son signe !

Si je pouvais donc faire craquer ces liens qui me retiennent !

L'homme a fait un signe aux larves. On m'entoure. On me soulève. Le contact de ces innombrables petites mains me révulse. Où m'entraîne-t-on ?

— Robert ! Nous sommes là ! Confiance ! Surtout ne...

La phrase s'est perdue. On m'a attiré dans le jardin merveilleux. Il embaume sous les rayons d'un soleil étrange. Les roses se pâment, les bassins reflètent un jour brillant comme la neige. Sur le grand miroir d'eau où l'on m'a penché, je vois nettement paraître deux visages ! Ils sont irradiés de joie voluptueuse. Anne-Marie ! Chandrah !

Mon cri vient de déchirer l'image. Elle retombe en fine cendre grise. Mais Dawal est resté. Il remet son doigt maigre sur mon front.

— Pourquoi t'es-tu mêlé de nous arracher cette créature ? Elle nous appartenait. Nous l'avons reprise et maintenant c'est pour toujours !

— Tu mens, saloperie ! Elle est ma femme ! Elle m'aime ! Je la défendrai !

— Avec quoi ? Ce n'est pas ton joujou d'acier, avec son canon rond comme un œil de coucou, qui pourra nous atteindre. Tu es impuissant contre ce pouvoir d'envoûtement qui nous livre Anne-Marie, parce que c'est celui de l'amour. De son amour pour Chandrah !

— Tais-toi, ganache ! Sale crabe ! Je t'écraserai !

— Regarde comme elle est heureuse d'avoir enfin retrouvé celui qui, pour elle, a toujours été l'unique !

Impitoyablement, l'eau reflète l'image d'un couple amoureusement enlacé. Les bras d'Anne-Marie attirent la tête aux cheveux sombres, vers son propre visage. Mais est-ce bien le visage d'Anne-Marie ? Une expression de bassesse, d'ignoble soumission déforment ses traits. Ses yeux ont un regard que je voudrais ne jamais avoir vu !

Le corps lascif de la femme se serre, ondule contre l'homme au faciès impassible qui la domine. Mais qu'arrivera-t-il ? C'est un serpent que Chandrah presse maintenant dans ses bras ! Je triomphe.

— Ce n'est pas Anne-Marie ! Tu as perdu !

— Regarde mieux, cher innocent.

La tête du reptile me fait face. Ses yeux, couleur d'eau azurée, sont dardés sur moi, pleins d'une cruauté froide. Jamais elle ne m'a regardé ainsi ! Et pourtant c'est bien elle. Je retrouve cette délicate figure de femme derrière la face de l'ophidien.

— La femme n'est-elle pas la créature la plus merveilleusement perfide qui soit au monde, cher excellent Ferrand ? De tout temps elle fut pour nous tantôt une esclave, tantôt une alliée.

— Robert ! Nous travaillons pour toi ! L'aveugle aura sa vengeance...

La voix est revenue ! Je veux m'accrocher à elle. Mais Dawal s'est remis à rire. A rire interminablement. Puis j'entends le rire plein de dédain de Chandrah, et enfin celui d'Anne-Marie, qui me fustige. Où est le rire perlé, si frais, si harmonieux que j'aimais, et qui me sonnait dans le cœur ?

Le jardin a disparu. Tout a disparu. Je me sens frappé à mort.

— Robert ! Sors du brouillard, mon vieux !

La voix n'est pas loin de mon oreille. Plus réelle à présent. Elle commence à éveiller quelque chose en moi. Des suites de mots reprennent une signification plus précise :

— ... L'avion pour Téhéran... passeport encore valable... tournée... L'aveugle... papiers perdus... Tu sais que j'ai de bons copains, pas toujours réguliers, mais adroits de leurs mains... petite fabrication... on s'y tromperait...

Je veux me secouer ! Bouger ! J'ai l'impression que mon corps roule sur des dalles. Ainsi tout me paraît plus net. Mais qu'est-ce donc qui m'entrave ? Qui me retient ? Des cordes ? Pardi ! Je suis saucissonné ! Un vrai paquet ! La voix continue :

— J'ai laissé les autres s'expliquer à l'aérodrome. J'ai foncé au *Park-Hôtel*. Là j'ai eu l'adresse du vieux moche...

Les ondes chaudes s'accentuent, me tirent d'un abîme. Je sais maintenant que cette voix a un visage. Mais je n'ose pas encore en prononcer le nom :

— ... Tu parles d'une piste pour arriver jusqu'à cette villégiature dans leur bagnole ! Ils m'avaient

mis au moins deux kilomètres de corde autour ! Oui,
je me suis fait posséder. Mais on les aura à la belle !
Surtout maintenant que nous sommes ensemble...

Non ! Je ne peux pas croire... La fantasmagorie
continue ! Il ne faut pas que je redresse la tête, que
j'ouvre les yeux, parce qu'alors tout cessera. Je me
retrouverai seul, au fond d'une misère sans nom !

— Hé ! Tu vas répondre, animal ? Je sens que ton
esprit se dégage des pattes du sorcier ! Je n'arrête
pas de t'envoyer des fluides réparateurs. Mais l'autre
jouait avec toi, comme un chat fait d'une souris !

Je redresse ma tête endolorie. Eh ! ils n'y ont pas
été avec une houpette en cygne, les salauds ! Je vais
ouvrir les yeux. Le rêve va cesser.

— Robert !

A quelques pas de moi... ce paquet ficelé... ?

— Pierre !

En une seconde, tous les mots entendus, toutes les
phrases enregistrées, prennent leur place. Je réalise !
Je réalise contre l'invraisemblance même de cette
situation !

L'aveugle retrouvant la mémoire, revivant son
malheur devant Tréguer horrifié, puis affolé à la
pensée que nous pourrions, Anne-Marie et moi,
subir le même sort... L'alerte est donnée. Le cher
vieux fakir vole jusqu'à nous, non pas sur un tapis,
mais dans un bon avion !

Impossible ! Je délire ! Jamais je n'ai cessé de
délirer ! Le coup reçu a provoqué cette fièvre, ces
hallucinations, bien plus sûrement que les pratiques
d'un soi-disant sorcier.

Tout ce que j'ai vu n'était-il pas en moi, et en moi
seul ? Mes perplexités sur les sentiments d'Anne-
Marie ? Cette rivalité qui n'a jamais cessé de m'obsé-
der au sujet de Chandrah ? Mon subconscient a
libéré ses monstres, voilà tout.

Et maintenant ?

Maintenant je ne rêve plus. Je regarde. J'examine. L'endroit où l'on m'a enfermé est une cellule aux murs rugueux comme des parois de roc. Mais là, à deux enjambées, il y a bien un homme aussi ligoté que moi ! Cet homme, c'est Tréguer. Une désolation infinie me soulève.

— Mon pauvre vieux ! C'est donc vrai ? Tu es venu te fourrer dans un beau traquenard !

— Pas pour longtemps. Ces cochons-là ignorent que l'aveugle est vivant, qu'il est avec moi dans le voyage. De plus nous avons Grébard...

— Hein ? Grébard est ici ?

— Et alors ! Il a des papiers en règle, lui ! Des vrais ! Toute l'agence voulait s'envoler ! J'ai dû les calmer. A l'heure qu'il est, Grébard a déjà dû faire pas mal de ramdam chez les flics du patelin ! Depuis quelque temps, le Dawal n'est pas très bien blairé.

Je retiens une question. Elle me contracte la gorge, me fait cogner le cœur. D'une voix sans timbre, je la pose enfin :

— Tu... tu as vu Anne-Marie, à l'hôtel ?

— Non. Des gens étaient venus la chercher.

Ouf ! l'air vient de passer ! Cela a produit le son d'un sanglot. Je claironne :

— Elle est avec Doug Horner et sa femme ! Des Américains que j'ai eu la veine de rencontrer ! Mon vieux Pierre, il va falloir trouver le moyen de nous tirer de ce margouillis !

Puis les idées s'enchaînent. C'est curieux comme elles ont repris leur bon rythme ! Je demande :

— Mais, au fait, l'aveugle : comment s'en était-il sorti ? Et comment a-t-il pu...

Un bruit grinçant arrête ma question. Une porte s'ouvre, livrant passage à une énorme vannerie surchargée de fruits et de gâteaux. La corbeille tangue sur les bras suiffeux, mais cliquetant de bracelets, de Mme Jaïra. La grosse femme aux joues blettes est suivie de l'inquiétant Jérôme. Le bourreau noir ferme la marche et se place contre la porte. Il tient dans ses deux mains un lourd casse-tête qui ne demande aucune explication.

La vue du trio me communique une rage allègre qui me fouette le sang. Il faut montrer à ces innommables que nous ne sommes pas encore réduits à l'état de marionnettes. J'interpelle Tréguer :

— Je te présente le sieur Denis, Jérôme, l'assassin du pharmacien de Saint-Mandé. Tu te souviens de l'affaire ?

— Comment donc ! Enchanté ! Il a la gueule de l'emploi !

Pendant que Jérôme bredouille on ne sait trop quoi, Mme Jaïra dépose sa corbeille. Ce geste entraîne le mouvement de deux seins qui font penser à des besaces vides.

— Messieurs, le maître vous fait envoyer ces fruits et ces pâtisseries pour réparer vos forces.

— Merci, miniature ! lance Tréguer. Nous ne toucherons à aucune de vos cochonneries. Vous pouvez les réenvelopper.

— Le maître saura bien vous en inspirer le désir ! Pour l'instant on va vous délier, mais auparavant...

Le contralto de la Jaïra reste suspendu. Elle s'est effacée pour faire place à Jérome, toujours en blouse blanche et qui tient à la main une seringue et un flacon. Il sourit finement :

— Rassurez-vous, chers amis. Une simple dose de calme. Le maître doit vous inviter à un spectacle de choix. Il désire que vous soyez en état de le goûter.

Disant cela, il plonge la seringue dans le flacon, absorbe, ajuste l'aiguille.

Quelle saloperie va-t-on nous injecter ? Rien de

définitif, certainement. Mais quel est l'effet attendu ?

Mme Jaïra reprend :

— Si vous n'êtes pas sages, vous aurez affaire à Bug. Il frappe fort !

Le bourreau noir est toujours contre la porte. Jérôme s'est approché de Tréguer, sa seringue à la main !

— Vas-y, Toto, je suis vacciné !

Tandis que l'aiguille s'enfonce dans la chair de l'avant-bras, mon pauvre copain se met à siffler une serinade de jazz. Ces notes rythmées, faites pour la joie des beaux dimanches, me sont insupportables dans cette caverne où nous jouons notre peau.

— Non ! Ferme-la, Pierre !

— Pourquoi donc ? C'est-y pas plus gentil comme ça ? On se croirait rue Fontaine...

Et Tréguer continue tandis que Jérôme s'occupe de moi. J'ai la sensation qu'il se passe quelque chose d'inattendu. La Jaïra et l'empoisonneur sont penchés sur moi. La piqûre faite, on va me délier. Si j'en profitais pour filer une bonne gaufre au Denis ? Mais il y a le Noir, là-bas, qui guette. Je m'en assure d'un coup d'œil et je vois ! Je vois Bug, le bourreau noir, le doigt levé, qui fait silencieusement un signe à mon fakir !

Un souvenir brusque m'éclaire ! La scène de l'autre soir. Le dîner. Le plat de gâteaux basculé. Le mot « matchiche ». J'avais mal compris. Il fallait entendre *haschisch !* Bug me prévenait que l'on nous droguait. Bug était un allié ! Et moi une carafe ! Un hotu !

La porte vient de se refermer sur le trio. Nous sommes seuls, les membres ankylosés d'avoir été ligotés si longtemps. Nous étirons nos bras et nos jambes, puis j'interroge avec avidité :

— Alors, ce Bug ?

— Oui, tu as saisi. C'est lui qui a sorti Larjac, le peintre. Il l'avait connu à Montmartre. Malheureusement, il n'a pas pu lui éviter le... la chose... Le Dawal a voulu s'offrir des yeux de peintre. Tu vois le sadisme de l'individu ? Oter sa lumière à un type qui ne vit que pour ça ! Larjac croyait aller chez un mécène. Il se voyait lancé ! Le salaud lui a laissé décorer des salles, pendant des semaines. Et puis...

Un froid me descend dans le cœur. Tréguer continue :

— Après on relègue les types au village des aveugles. On les drogue à pleins tuyaux. C'est Bug qui est chargé de ramasser les macchabées pour aller les balancer dans une faille de la montagne. Il a fourré Larjac au milieu des cadavres. Il l'a caché et il a pu le faire filer grâce à un vieux nomade et à son dernier chameau. Après il a perdu le fil. Il y avait de quoi ! Le nomade devait le confier à des pèlerins. Ces bons bougres, gonflés de prières, ont dû le balader un peu partout. Comment a-t-il été recueilli par des pilotes et ramené à Marignane ? C'est encore dans la brume ! Ce qui nous intéresse pour l'instant c'est de savoir que Bug a compris. Enfin, Larjac connaît l'entrée secrète de ce maudit palais. Cela prend dans une anfractuosité de la montagne. Malgré ses yeux éteints il pourra donner des indications. C'est en train de cuire, mon vieux Robert ! Le Dawal aura sa surprise-partie !

Pendant que Tréguer parle, je lutte contre une impression de flou. Non ! Je veux faire travailler mon cerveau. Je rassemble des idées, des indices, des souvenirs, comme si je bourrais mes poches de cailloux pour ne pas être absorbé par l'espace.

— Dis-moi, Pierre. Pourquoi as-tu couru à Orly ? Qu'est-ce que tu me criais sur cette terrasse ?

— Je t'ai crié : Chandrah ! Eh ! oui. Il était dans l'avion avec vous, sous un déguisement ridicule.

J'allais à l'aérodrome pour essayer de te faire comprendre, une dernière fois. Sur la route, une voiture a dépassé mon taxi, alors qu'une autre arrivait en face. Le type qui venait de doubler a fait une embardée. J'ai remarqué la bonne femme. Ses lunettes sont tombées ! J'ai reconnu le gars ! Tout s'est éclairé. Chandrah et Dawal étaient de mèche ! Mon foutu taxi a crevé ! Je l'aurais tué. Quand je suis arrivé en gueulant comme un fou, l'avion décollait ! Mais tu vas voir quand même que...

La voix de Tréguer n'est plus qu'un bourdonnement indistinct. Un nom cogne dans mon cerveau comme un marteau sur une enclume : Chandrah !... Chandrah !... Chandrah !...

Les images du jardin magique ? Chandrah ! Anne-Marie ! Tout est vrai !

Le rire de Dawal fuse à travers les murs.

CHAPITRE IX

On vient de nous ramener dans notre prison rocheuse. Je ne me sentirais pas plus anéanti si j'avais reçu dix mille coups de trique. Mes jambes sont vacillantes. Je me laisse tomber sur la natte à même le sol comme si je ne devais jamais me relever. Tréguer en fait tout autant. A voir le ton verdâtre de son visage, ses mâchoires crispées, ses traits creusés, vieillis, je juge de ce que doit être ma propre figure !

Nous n'osons pas nous regarder en face. Une honte indicible nous étreint. Est-il possible que nous ayons assisté, muets, impuissants, à un aussi abominable spectacle ?

Je dois m'allonger pour ne pas céder aux nausées spasmodiques qui me soulèvent l'estomac. Tréguer a plongé sa tête dans ses mains. J'ignore s'il essaie ainsi de se calmer, d'arracher de sa mémoire la vision maudite ? Il se pourrait aussi qu'il pleure ? Ou qu'il prie ?

Je ferme les yeux, mais l'horreur est entrée en moi. Je la revis sans cesse.

Nous étions deux hommes parmi ces êtres sans nom. Deux hommes aux muscles solides, à la conscience éclairée, au cœur vite fraternel. Deux hommes décidés. Et nous n'avons rien pu !

Le poison absorbé nous avait investis, jusqu'aux

racines de l'âme. Nous étions dépossédés de nous-mêmes. Deux pauvres pantins, incapables de tenter un geste. Deux témoins passifs d'une monstruosité.

L'illustre Jérôme peut être fier de sa formule. Le liquide injecté est parfaitement au point pour transformer un être équilibré, conscient, en une baudruche inoffensive.

Mais il n'assiste pas, lui! Trop sensible, sans doute, le Jérôme! Il feint même d'ignorer ce qui se passe dans cette salle propitiatoire aux murs de marbre noir, où sont gravées des figures ésotériques aux symboles inquiétants. M. Jérôme Denis, assassin vénéneux, attend dans son laboratoire qu'on lui apporte les choses sur lesquelles il devra travailler. Que lui importe si ces... choses sont encore palpitantes, dégouttantes de sang frais? Et si elles conservent sur leur rétine à peine vitrifiée, une dernière vision de désespoir.

Non, non! Jérôme ne sait rien. Ne voit rien! S'il m'est donné un jour de triompher de cette aventure et de faire payer ces immondes bourreaux, c'est par lui que j'aimerais commencer!

Tréguer vient de s'allonger à son tour, mais il garde ses mains sur sa figure. Il est absorbé, absent. Je n'ose pas parler, de crainte que mes pauvres mots ne l'arrachent à la sphère idéale où son esprit a peut-être pu se réfugier. Nous ne pourrions que revivre ensemble cette heure affreuse. Je la revis bien assez tout seul!

Je revois l'enfant, amenée par Mme Jaïra. On l'a drapée dans des voiles multicolores qui tomberont un par un durant la danse qu'elle va exécuter. On l'a hissée sur un podium violemment éclairé. Le mur derrière elle est orné de serpents entrelacés et de formes géométriques qui ont fait frémir Tréguer à côté de moi. Mais la gosse ne s'épate de rien. Elle voit surtout les coussins luxueux, les tapis épais et les cassolettes où brûlent des parfums rares. Sa figure de biquette maigre est animée, radieuse. Pour elle la gloire commence. Elle va donner un aperçu de ses dons artistiques devant un cénacle. Rien que des gens choisis ! Et ce M. Dawal qui la détaille minutieusement ! Sûr qu'il la lancera ! Qu'il l'imposera ! Il l'a promis. La petite traînée de Brooklyn sera demain une grande vedette ! Elle fera des milliards ! Elle aura des voitures, des bijoux, des yachts et des ruées de journalistes derrière elle !

Elle s'applique à danser, cherchant des pas suggestifs. Les musiciens sans prunelles l'accompagnent. Elle ne se doute pas encore qu'ils préfigurent son destin. Elle exulte. Elle est heureuse. Elle est prête à tout accepter. Ce M. Dawal est bien laid, bien vieux et plutôt repoussant... Mais pour *arriver,* ne faut-il pas savoir marcher sur son propre dégoût ? Elle piétinera dans toutes les fanges. L'éclat triste du vice nimbe son visage aux traits ingrats. Ses membres grêles forment des angles trop aigus. Ni grâce ni talent chez cette pauvre gosse que l'on plaint d'être si ridicule. Elle ne possède que ses yeux, extraordinairement beaux. Elle ignore qu'on va les lui prendre. Que c'est le but de cette fête dont elle se croit la reine, et qui n'est qu'un mythe sacrificiel. Avant l'holocauste, il sied d'idolâtrer la victime.

Autour d'elle les bravos crépitent. On l'acclame. Elle salue, voiles tombés, offrant impudiquement son corps nu d'adolescente rachitique à ces regards d'hommes qui la cernent.

Deux seulement n'ont pas applaudi, pas souri, pas acclamé. Deux sont restés sur leur siège, comme des paquets privés de mouvement, de parole.

Pour ces deux-là, la malheureuse a un regard de suprême dédain. Pauvre petite mouche vaniteuse, qui prend la toile de l'araignée pour un manteau royal !

Si elle avait pu entendre ce tumulte intérieur qui nous fracassait l'âme, et ces appels que nous lancions pour elle à tous les échos du ciel !

Le ciel était loin. Nous étions plongés, Tréguer et moi, dans une zone redoutable, un monde perdu. Il n'y avait qu'à voir l'expression de ces misérables autour de nous.

Les traits déformés, le secrétaire-cadenas poussait des cris inarticulés, et sa peau couleur de moutarde se mouillait d'une sueur graisseuse. L'énorme Jaïra battait frénétiquement des mains, gloussait, frétillait comme une poule qui vient d'avaler un ver. Les autres assistants étaient dans le même état démentiel. Un désir inavouable faisait trembler les mains du vieux Dawal. Ses yeux ternes s'animaient, devenaient presque phosphorescents. Ce délire était-il dû au haschisch ? A des pratiques démoniaques ? L'un et l'autre sans doute. L'un par l'autre !

Il y avait un moment déjà que j'évitais de regarder Tréguer. Lui aussi préférait ne pas me voir. Que pouvions-nous échanger, sinon une identique horreur ?

Un rideau s'écarta et je vis entrer Chandrah.

Une lame de fond me parcourut, me donna, l'instant d'un éclair, la force de me mettre debout, de hurler ma fureur. Mais je retombai sur mon siège. Je n'avais pas pu articuler un seul mot intelligible. Je m'effondrai, parmi les ricanements de l'assistance, comme un jouet cassé.

— Ne soyez pas si pressé, cher monsieur Ferrand ! Votre tour viendra ! Mais il vous faudra, avant, assister gentiment à plusieurs de nos fêtes ! Nous vous réservons le dernier numéro !

Cette phrase du vieux charognard provoque une nouvelle bordée de rires. J'entendis près de moi le halètement rauque de Tréguer. Lui aussi luttait désespérément pour retrouver sa liberté d'action.

Luxueusement revêtu d'un costume oriental, soie verte chamarrée d'or, Chandrah avançait tel un prince de légende. Il n'eut pas même un coup d'œil vers ce paquet qui était Robert Ferrand. Ce dédain me fouetta le sang, mit le comble à ma rage. Le destin de cet homme s'imprima dans mon propre devenir. C'est par moi qu'il mourrait. Je ne savais pas quand, ni où, mais je fus certain que je le tuerais. L'idée de ce meurtre me fut un baume.

Et puis vint l'horrible partie. On nous amena vers un autre point de la salle aux hiéroglyphes menaçants. Là se trouvait une immense roulette. En vue de quel jeu ?

Mme Jaïra poussa la fillette, après lui avoir remis ses voiles avec des gestes attendris.

La voix grinçante de Dawal s'éleva :

— Chers amis, notre grande artiste va se mesurer avec la chance. Si elle gagne, elle signe immédiatement le contrat proposé par une des plus grandes firmes de cinéma « in the world » ! Si elle perd...

Ici un rire abominable. Chandrah impassible, attendait devant la table. L'enfant s'émut. Elle bredouilla :

— Mais je... je n'ai pas d'argent pour jouer...

— Point n'est besoin d'argent, chère mignonne, pour enrichir « l'homme au mille et un regards » ! Tes yeux lui suffiront. Et tu vas jouer tes yeux. Tes beaux yeux dont il a envie !

Ses yeux ?

Une seconde elle hésita. Un obscur instinct commençait à s'éveiller en elle. Puis elle rit. Bien sûr tout ceci ne pouvait être qu'une plaisanterie, une fantaisie de ce vieil original. Pourquoi risquer de le désobliger ?

— En sept fois ! commanda Dawal. Je fais bonne mesure !

Elle misa sur la rouge. Le banquier, Chandrah

actionna le moulinet, lança la bille... qui alla sur la noire.

Vers le quatrième tour, l'enfant se sentit gagnée par une appréhension diffuse. Les regards qui l'entouraient la brûlaient. La peur s'installait dans sa chair. Que lui voulait-on ?

— Joue, petite ! Mais joue donc ! hoquetait Dawal dont l'horrible jouissance avait commencé.

Les sursauts de l'être qui voit se refermer inexorablement les mâchoires du piège, les vains efforts par lesquels il se débat, devaient procurer à ce monstre un paroxysme de délectation.

La petite s'affolait, pontait de la noire à la rouge et perdait toujours. Il était écrit qu'elle devait perdre. Chandrah lançait la bille d'ivoire, imperturbablement. Il n'avait pas plus de regard qu'une statue de pierre.

Elle n'alla pas jusqu'au bout. L'instinct des bêtes sacrifiées la fit s'effondrer à genoux. Elle se mit à hurler. Pauvres cris perdus qui n'atteignaient personne.

Je sentis frémir l'épaule de Tréguer contre la mienne. Lui aussi tentait des efforts surhumains pour faire craquer cette torpeur, cette paralysie qui nous maintenaient bien plus sûrement que des cordes. Notre fureur eût certainement brisé des liens ! Mais ce poison inconnu...

Non ! Non, je ne veux plus penser ! Je ne veux plus entendre les râles de terreur de l'enfant, étendue sur une table de marbre, et que l'on maintenait, tandis que le vieux Dawal, lé doigt pointé, l'ongle acéré, approchait lentement. Solennellement ! Sur toutes les faces, il y avait le même hideux sourire de méchanceté à l'état pur.

Chandrah n'était plus là. Sans doute, comme le sieur Jérôme, n'assistait-il pas à l'ultime phase ? Il se contentait d'être la main du destin. Destin truqué puisqu'il faisait gagner Dawal à tous les coups et lui livrait ses victimes.

Le gémissement modulé qui suivit les cris stridents de l'enfant torturée, me fut plus insupportable encore à entendre. Il résonnait pour moi comme le son même de tous les désespoirs. La plainte de notre pauvre monde chaque fois vaincu par la force du mal. De quelle malédiction étions-nous donc l'objet ?

Penché sur la petite suppliciée, pour accomplir son ignoble besogne, le vieux Dawal ronronnait de plaisir. Ses jambes étaient par instant agitées de trépignements. Il se rassasiait d'horreur.

L'enfant était maintenant sans connaissance. Le secrétaire au faciès de dément éleva sur un plateau d'or les deux organes mutilés qu'il venait de recueillir. Dawal se redressa et psalmodia en un chant monocorde :

— O Arhiman ! Nous clouons deux étoiles de plus à ton ciel de ténèbres. Ainsi l'as-tu exigé de Jai Dawal, ton fils, quand il reçut de toi la pierre tombée de l'astre noir. Celle qui attire l'or et le sang ! Et qui rend invincible ! O Arhiman, tu es mon maître. Tu es le maître de la terre. Le seul puissant ! Le seul triomphant depuis le début des âges. Arhiman, fais-nous l'esprit subtil et le cœur cruel pour que nous puissions jouir selon ta loi !

J'aurais voulu répondre à ces pitreries par les plus grossières insultes, par des crachats. Je dus, une fois de plus, me résigner au silence imposé par l'engourdissement du poison.

La fête se termina en saturnale. Les mots qui s'échangeaient, se modulaient, se scandaient, nous étaient étrangers. Je compris qu'ils ne devaient appartenir à aucun langage humain. Pourrait-on jamais se remettre de les avoir entendus ? Mais peut-être ai-je rêvé tout cela ?

Oui, j'ai dû plonger une fois encore dans je ne sais quel abîme à cauchemars. Combien de temps cela a-t-il duré ? Un siècle ou une minute ? J'ai perdu la notion des heures et des jours.

Les murs de notre cellule suintent d'humidité. L'endroit doit être profond. Mais qui sait si l'entrée secrète ne se trouve pas tout près de nous ? La faille ouverte sur la liberté ? Sur la vie ? Sur le soleil des hommes ?

Je risque un regard vers Tréguer. Son visage est découvert. Je suis frappé de sa pâleur. Une blancheur de cire ! Et il y a sur ses traits une gravité telle que j'en suis soudain labouré d'inquiétude. J'appelle :

— Pierre !

Il ouvre les yeux et me regarde. Je suis confus, honteux de ma faiblesse.

— Tu dormais, mon pauvre vieux. Excuse-moi !

— Je ne dormais pas. Je me concentrais. Je réparais mes forces psychiques en faisant appel aux forces inspirationnelles pour qu'elles m'éclairent. Si tu avais quelque peu pratiqué l'occultisme, tu comprendrais mieux en quoi consiste cette gymnastique de l'âme, cette montée vers les puissances supérieures. J'essaie de m'intégrer au Lotus dispensateur d'intuition, afin de capter des messages.

Ce langage, qui aurait provoqué ma bonne blague, il y a encore peu de semaines, a pris pour moi un son nouveau. Je demande :

— Et... quel message reçois-tu de tes puissances supérieures ?

— Un message de confiance.

La réponse, trop vague à mon gré, me déçoit.

— Après ce que nous venons de voir, tu sais...

— Ne te déballe pas ! Grébard aussi s'occupe de nous avec Larjac.

— Mais comment veux-tu que ce pauvre type

d'aveugle puisse retrouver la faille qui conduit au repaire de ces monstres ? Toutes les parois de roches se ressemblent dans ce paysage, jusqu'à la monotonie. Sans ses yeux il ne pourra rien.

— Il a des souvenirs. Et des souvenirs de peintre qui a enregistré jusqu'au plus subtil détail, aux nuances imperceptibles...

— Que les autres ne verront pas !

— Il les leur fera voir. N'oublie pas qu'il est guidé aussi par un instinct puissant : celui du justicier. Cela pousse un bonhomme !

Nous nous sommes levés et nous marchons maintenant d'un mur à l'autre. J'ai l'impression que mes membres sont moins gourds :

— On dirait que leur saloperie de drogue est en train de s'éliminer... Peut-être que si nous avions mangé...

Tréguer arrête mon geste vers le plateau chargé de fruits et de pâtisseries :

— Ne touche surtout pas à ça ! Ils t'en ont déjà collé assez !

La vue des gâteaux de la grosse Jaïra me ramène au fameux dîner, à ce rire nerveux qui nous avait pris, Anne-Marie et moi. Le haschisch produit cet effet.

Une douleur se réveille en moi au souvenir d'Anne-Marie. Je ne peux plus supporter tout seul mon désarroi, mon angoisse. Je murmure :

— Pierre... j'ai eu la vision d'Anne-Marie et de Chandrah... dans ce jardin... ce n'est pas possible qu'elle soit ici, hein ?

— Ce démon savait comment s'y prendre pour la torturer ! Il t'avait envoûté et jouait avec ton esprit.

J'admets cela, mais il me faut poursuivre :

— Pas question que le Chandrah soit allé la chercher là-bas ? Il se serait démasqué. D'ailleurs Grébard a dû la voir et la mettre en garde. A présent elle ne craint plus rien, n'est-ce pas ? Horner et sa femme l'auront recueillie ? Ils la garderont jusqu'à ce que nous soyons sortis de cette foutue montagne ! Mais tu ne me dis rien, Pierre ! Pourquoi ?

— Chut ! J'écoute !

Est-ce vrai ? Est-ce pour éluder ? Pour ne pas répondre ? Tréguer sait-il quelque chose qu'il n'a pas voulu me dire ?

— Pierre ! Il faut que...

Il me fait taire à nouveau. Oui, on s'approche de la porte. Un grincement : elle s'ouvre. Bug paraît. Il nous souffle :

— Vite ! faites le sommeil !

Sans autre explication, nous nous laissons aller à terre sur nos nattes. Bien décidés quand même à regarder entre nos cils.

Prestement, Bug se dirige vers le plateau. Je le vois ramasser des gâteaux qu'il fourre dans ses poches. Mais quelqu'un d'autre vient d'atteindre notre seuil. Je distingue une silhouette mince d'adolescent. Où ai-je déjà vu ce dos fuyant ? Cette démarche oblique ?

Pour l'instant, l'individu est occupé à extraire des gâteaux d'un panier et à les disposer sur le plateau. Ils remplaceront ceux que Bug a enlevés et que nous sommes censés avoir mangés, avec leur contenu de cochonnerie ! Enfin, la silhouette se retourne. Je retiens un juron. C'est le gamin au cabochon ! Celui que j'avais suivi depuis la bijouterie de mon beau-père ! Il m'aura bien mené par le bout du nez, vers une aventure dont je ne sortirai peut-être pas vivant ! Il peut bien me considérer maintenant avec ce sourire équivoque que je lui voyais dans la glace des vitrines, à Paris ! Possédé le Robert ! Et par ce mouflet ! J'ai furieusement envie de l'attraper et de le casser sur mon genou, comme on fait d'une branche pourrie ! Mais je dois dompter cette flambée de colère. Il ne faut pas compromettre la chance que Bug peut nous offrir.

Le gamin a terminé. Bug le pousse dehors avec son panier. Mais avant de franchir le vaste seuil, voici qu'il se baisse rapidement, dépose à terre un objet pris dans son blouson. Enfin, sans s'être retourné, il a refermé la porte.

Nous bondissons. Tréguer le premier, ramasse. C'est une bouteille pleine d'un liquide brun. Le bouchon enlevé, le liquide révèle son identité :

— Du café ! murmure Tréguer. Et du costaud ! Bois vite, Robert. Tu me le passeras après.

Du costaud ! Et comment ! A vous empêcher de roupiller pendant au moins trente jours ! Il est froid et sans sucre. Le meilleur café de ma vie ! Celui de l'espoir qui repousse !

Tréguer vient de lamper la dernière goutte de sa part quand la porte regrince. Je planque la bouteille en m'allongeant dessus.

Précaution inutile. C'est Bug. Et il est seul.

Un doigt sur les lèvres, il s'accroupit entre nos deux nattes.

Mille questions se pressent, se bousculent dans ma tête. Je les retiens. Mieux vaut laisser parler le Noir. Il ne doit pas disposer de beaucoup de temps. C'est à Tréguer qu'il s'adresse :

— Alors toi tu l'as connu, le monsieur Larjac qui faisait des peintures ?

— Tu parles ! Et je t'annonce qu'il n'est pas loin d'ici en ce moment !

Le visage sombre tressaille.

— Il revient pour la vengeance à tous ?

— Oui. Et il a des policiers avec lui ! Il y aura du ramdam ! Le Dawal l'aura, sa surprise-partie !

Mais Bug fait une lippe. Quelque chose ne lui a pas plu. Il marmonne :

— Hé!... policiers... policiers... pas trop de la police pour Bug!

Allons-nous perdre ce précieux concours? J'interviens :

— Ne te tracasse pas, Bug. Je me charge d'arranger ton affaire! Si tu nous sors de là, on effacera ton ardoise. C'est moi qui te le dis.

Il doit y avoir autre chose. Il hésite visiblement, puis se décide :

— Mais... si ça rate? Bug a perdu la chance depuis que *l'autre,* le sorcier a volé le gri-gri!

— Tu as bien réussi à faire filer Larjac!

— Pas avec ses yeux!

Ces quatre mots pèsent sur nous aussi lourdement que toute la montagne. Nous venons de reculer vers l'ombre, l'horreur, les menaces.

Nerveusement Tréguer fourre ses mains dans ses poches. Il a une exclamation :

— Mon pendule! Ils me l'ont laissé après m'avoir fouillé et barboté tout le reste, les salauds!

Le geste habituel se reconstitue. Le bon fakir cherche, comme il dit, « sa longueur d'ondes ». Le pendule, un cône de verre noir, taillé en spirales, commence à osciller au bout de son fil. Les oscillations s'accentuent, deviennent des ellipses, des angles, toute une géométrie.

Le Noir regarde, très intéressé, puis fasciné. Tréguer trouve alors l'inspiration du moment, ce que j'appelle, moi, « le coup de pif »! Il s'adresse à Bug :

— Tu vois, c'est mon gri-gri, à moi. Il est très fort! Avec lui, plus rien à craindre des mauvais esprits.

Et il met le cône de verre dans la main de Bug.

— Tu me donnes ça, toi?

— Garde-le. C'est toi maintenant, qui auras la chance!

Bug reste un moment immobile, n'osant pas fermer sa main sur l'objet. Enfin il se décide et empoche le pendule. Je veux compléter l'effet et achever de persuader le Noir.

— Tu vois, Bug, mon copain aussi est sorcier. Mais un bon sorcier pour le Bien et contre le Mal. L'autre sera bientôt foutu !

Nous venons certainement de prendre un virage. Il s'agit maintenant de foncer. L'expression de Bug n'est plus la même. Nous l'avons libéré de la peur superstitieuse qui le tenait sous le joug de Dawal, et cela bien plus sûrement que la crainte de la justice.

La caféine commence à produire son effet. Nous allons redevenir des hommes lucides, décidés.

— Voilà ! dit Bug. Jérôme, il va venir tout à l'heure. Moi seul je l'accompagne. Vous faites le sommeil. Nous entrons. Je ferme...

— Vu ! C'est lui qui dégustera toute la dose ! On ne lui fera pas grâce d'une goutte !

— Bon. On enlève la blouse blanche. Un des deux la met et je repars avec lui. Après je reviens pour l'autre.

Le temps d'enregister et je demande :

— Et tu sais où nous fourrer, Bug ?

— Là où on ne viendra pas voir. Bug tout seul peut y aller. Les bêtes, elles le connaissent.

J'ai compris. Il va nous flanquer au milieu des fauves. Un risque à prendre. Mais mieux vaut avoir affaire aux panthères, aux ours et même aux serpents. Ce ne sont que des bêtes, irresponsables de leurs instincts, et ignorantes du mal. Aucune comparaison avec les monstres que nous avons vu opérer tout à l'heure.

Va pour les fauves ! Mais je pose une condition. Tréguer quittera le premier cette cellule maudite. Il renâcle :

— A toi d'abord, Robert. Tu étais arrivé le premier dans ce charmant séjour !

— Oui, mais moi je m'étais laissé inviter. Toi, c'est du supplément !

Nous avons échangé nerveusement ces phrases où se retrouve un écho bien terni de notre gouaille d'autrefois. Mais le rire ne vient pas. La source pourrait bien en être à jamais tarie.

Bug nous met d'accord.

— Puisque je viendrai pour chercher les deux !

Bien sûr. Et on n'en est pas encore là !

— C'est maintenant mieux que je sorte, continue le Noir. Le gamin pourrait venir rôder... Sale moustique à écraser aussi !

Il a gagné la porte. Il se retourne. Un sourire, le premier que je lui vois, illumine son noir visage. Il tapote sa poche, cherche visiblement quelque chose de plaisant à nous dire. Il trouve :

— A bientôt et... fais gaffe !

Il est sorti. Sa phrase argotique nous reste. Elle déclenche en nous des images familières, bouées fragiles auxquelles s'accroche un peu d'espoir.

CHAPITRE X

Il en a pour un bon moment le Jérôme ! Tréguer lui a fourré tout le flacon. Il en a pris dans la nuque, dans le gras du bras, dans la fesse. Partout où on pouvait piquer ! A lui de déguster sa propre saleté. Le voilà aussi neutre que la natte de jute sur laquelle on l'a laissé. Au cas où il donnerait quelques signes d'agitation, je ne manquerais pas de le replonger dans l'oubli. Je suis sorti des limbes, grâce au café de Bug et j'ai retrouvé mon punch habituel. Il est dur et rapide. Alors, dodo bien sage, petit Jérôme Denis, si tu ne veux pas qu'on te berce !

Bug et Tréguer ont dû atteindre maintenant le paradis des panthères. Comptons une bonne demi-heure encore et moi aussi je serai libre. Libre derrière des grilles avec les fauves ! Mais libre comme un homme qui combat pour sa vie et n'est plus le jouet inconscient d'on ne sait quel pouvoir secret.

Les secondes qui passent accélèrent le flux de mon sang dans mes artères. J'entends battre mes tempes, mon cou, mon cœur ! Je me retiens de crier, de trépigner derrière cette porte.

Allons ! Minute ! Il faut se calmer et attendre. Bug reviendra bientôt. Je suis déjà soulagé à l'idée que Tréguer a pu s'évaporer.

Je me force à m'asseoir sur la natte là-bas. Au

passage, mes pieds cognent dans les jambes de l'homme prostré. Il n'a pas eu un seul tressaillement. La drogue le tient toujours, comme elle nous a tenus, Tréguer et moi. Cette constatation m'est agréable. Cela m'aide à dominer mes nerfs, terriblement excités par les angoisses subies, le jeûne forcé et la caféine à haute dose. Depuis combien de temps suis-je dans ce palais des mirages ? Impossible de le calculer. Y a-t-il des semaines ? Des jours ? Ou seulement des heures ? Cette question me trouble. Elle indique que je n'ai pas encore tout à fait retrouvé mon état normal et que le sortilège continue.

Sortilège ? Faut-il admettre que cela existe vraiment, comme le croit Tréguer ?

Afin de discipliner mon esprit, je m'efforce de reconstituer les phases de cette extravagante aventure. J'en vois très clairement le mobile criminel.

Chandrah et Dawal, sinistres compères, montent toute l'affaire. Par le moyen du bijou insolite, on trouble mon beau-père et Anne-Marie. Le trouble me gagne, à cause de mes débats intérieurs. On tend le piège grossier du gamin. J'y tombe lourdement ! Ah ! Je voudrais me fiche des claques à m'en faire sauter la peau ! Car c'est bien moi le responsable de tout ! Pour éloigner le souvenir de Chandrah de la pensée d'Anne-Marie, je suis allé me jeter dans le filet tendu !

Ensuite, vient la proposition du vieux, ses amabilités, ses flagorneries. Et, comme je n'ai pas l'air de mordre à l'hameçon, Chandrah réapparaît. Anne-Marie veut le fuir à tout prix.

Là encore, j'accroche un point douloureux. Le fuit-elle par dégoût ? Par horreur ? Ou plutôt parce qu'elle ne se sent pas la force de résister à ce misérable amour, enfoui au fond de son cœur ? Mais elle est loyale envers moi. Elle ne veut pas me trahir.

Il faudra que je l'aide. Elle me supplie de l'emmener.

Nous partons comme des fous ! Là ce n'est plus qu'un jeu. On nous amuse, on nous distille de la drogue et, le moment venu, nous sommes bons à cueillir. On mettra notre disparition sur le compte d'un nouvel accident de voiture, comme pour les autres. Ces pistes sont si dangereuses... Et les djinns..., etc. !

Seulement il y a un os ! J'ai tout de même eu un semblant d'éclair de lucidité, grâce à Horner et à ses confidences. La proie la plus précieuse échappe. Il n'y a que Ferrand au fond du trou. Anne-Marie est restée.

Une angoisse nouvelle m'empoigne. Et si je n'en reviens pas ? Anne-Marie sera seule dans la vie. Ce n'est pas son père qui pourra grand-chose pour la défendre. Chandrah la retrouvera, où qu'elle aille. Rien n'empêchera plus cette hideuse possession qui finira par la torture acceptée !

Anne-Marie est-elle marquée par un signe fatal ? Suis-je fou de m'être laissé aller à l'aimer ? Suis-je fou, au contraire, de douter d'elle ? Je suis en train de payer en ce moment. Mais de payer quoi ? Ma naïveté ? Mes doutes ?

Et puis en voilà assez ! Je me déchire inutilement, là, pour rien. Décidément, l'action me manque. Rien n'est plus tonique que la lutte, la bagarre ! Mais ce croupissement au fond de soi-même...

Faisons le vide ! comme disent les maîtres à penser. Ou alors que mon esprit soit braqué sur une seule idée : l'arrivée de Bug.

Pendant ce temps-là, mon client dort toujours. Il est plaqué à plat ventre, sa figure de lampion éteint enfouie au creux de son bras. Rêve-t-il à son patron, le pharmacien de Saint-Mandé, qui lui a servi de cobaye ? Est-il en extase devant le panneau d'or, dans la salle de marbre, où mille et un regards lui devront leur atroce éternité ?

Brusquement, je me sens hérissé devant cette masse de chair immobile. J'ai l'intuition qu'il s'est passé quelque chose de silencieux. De décisif. J'attrape le gars. Je le retourne.

Hé !

J'ai senti qu'un sourire glacé me crispait toute la face.

Ouf ! Voilà donc le premier ! Le premier qui dévisse ! Il entraînera les autres. A présent, j'en suis sûr.

Un délire me prend. J'y vais à grands coups de pieds ! Je martèle ce corps déjà raide, j'écrase des chairs, j'envoie la grosse caboche à la paroi dure.

Est-ce que je deviens fou ?

Cela gronde dans ma tête. Cela gronde partout, on dirait.

Je m'arrête pour écouter. Qu'est-ce que c'est que ce bruit ? Ces ululements aigus ? Ces déflagrations de tonnerre ? La montagne va-t-elle éclater ? Il semble qu'une force cyclopéenne la soulève.

J'ai lâché le cadavre pour m'approcher de la porte. Mon cœur bondit. Malgré le vacarme de tremblement de terre, j'entends un bruit distinct. Des pas ! C'est Bug ! La porte grince. Elle s'ouvre.

Chandrah est là, qui me regarde.

Un saut vertigineux et je lui tombe dessus. Je le sens se tordre sous mon corps. Mes mains cherchent son cou.

Mais d'autres mains m'ont saisi. Ils sont plusieurs à me maintenir. Ils sont trop ! Chandrah s'est relevé pendant qu'on me passe des cordes.

Le gamin au sourire a levé bien haut sa matraque !

*
**

J'émerge lentement d'un gouffre de cirage. La douleur me rend à la réalité. Le crâne me fait mal. Je revois une matraque... l'ignoble petite gueule du gamin... !

Je ne suis plus dans ma cellule. Où m'a-t-on mis ? Je distingue de hautes falaises lisses et noires. Sur quoi m'a-t-on étendu, de si froid, de si dur ?

La mémoire me revient, avec l'horreur.

Ces surfaces noires, ce sont des murs de marbre. Je reconnais maintenant les symboles qui y sont gravés pour servir à d'abominables maléfices. Et l'endroit où je suis, gisant comme un animal qui attend le couteau, c'est la table du sacrifice. Celle où j'ai vu déposer l'enfant qui suppliait.

Une contraction violente me redresse. Je me retrouve assis, mais toujours ligoté.

La salle est vide. J'y suis seul. Cependant je sens flotter autour de moi d'impalpables présences. Il s'est accumulé ici tant de perversités, de cruautés, de haines, d'immondes pratiques, de pensées ténébreuses, que cela forme une entité redoutable. Peut-être s'y trouve-t-il aussi, figés à jamais, les cris inutiles des pauvres sacrifiés ?

Quand va-t-on venir pour moi ?

Quand m'arracheront-ils la lumière ?

Non ! Cela ne sera pas ! Je n'irai pas figurer parmi les mille et un regards exigés par Arhiman et ses dingos ! Me voici à la dernière phase de la lutte. La plus serrée. Il ne faut pas se laisser bidonner !

Avec satisfaction, je constate que mon cerveau s'est remis à fonctionner. On ne m'a donc pas drogué. Il est vrai que le dispensateur de stupéfiants perfectionnés est déjà en enfer, où il attend ses petits camarades !

Ils n'auront ni ma peau, ni mes yeux !

La table sur laquelle ils m'ont étendu a des angles vifs. Il n'est pas possible de se glisser vers un de ces

angles, puis d'y travailler à desserrer mes liens. Le
coin de la table peut s'enfoncer entre deux tours de
corde. Et en poussant bien...

Mes oreilles sifflent sous l'effort insensé. J'entends à nouveau le grondement sourd qui ébranle la
montagne. Est-ce l'orage, ou bien encore quelque
tour de magie ? Et les autres, là-bas, Grébard,
l'aveugle, la police ? Vont-ils parvenir jusqu'à nous ?
Se sont-ils perdus dans les chemins impraticables de
ces montagnes, ou dans le dédale même de ce palais
de sorcier ?

La sinistre bande était bien abritée, ici, dans ces
hautes solitudes iraniennes. Mais je suis tout prêt à
admettre maintenant qu'il peut y avoir ailleurs des
nids à magiciens. Si l'on cherchait bien, on en
découvrirait sans doute parmi de grandes capitales et
beaucoup de choses pourraient être expliquées.

Ah ! Une des cordes se détend. Il s'agit maintenant de faire passer mon talon et mes jambes
seraient en partie libérées.

Je ahane. Je suis couvert de sueur, ce qui rend
plus glacial encore le contact du marbre.

Hisse ! Il passera ce talon ! Je force à m'en faire
craquer le métatarse. C'est oui ! Mon pied se
dégage, mais la chaussure vient de sauter à quelques
pas.

Un petit rire grinçant stoppe tous mes mouve-
ments.

Dawal est là qui m'observe de ses yeux chassieux
et cruels. Chandrah est avec lui. Ils sont entrés sans
doute par cette ouverture que masque un lourd
rideau couleur de soufre.

Pourquoi ai-je la sensation insupportable qu'il y a
quelqu'un d'autre derrière cette tenture ?

Je suis resté assis sur la table, les jambes pen-
dantes, un pied déchaussé. Des mèches de cheveux,
humides de transpiration, me pendent sur la figure.

Je dois être grotesque. Une rage démentielle me bouillonne dans le sang. S'ils doivent m'abattre que ce soit à l'instant. Je préfère cela à leurs ricanements de mépris. Mais tout de même, je ne vais pas me faire dessouder sans leur avoir dit quelque chose d'aimable.

— Alors, vieille ordure, c'est fini les étoiles ! L'illustre Jérôme a terminé son petit travail. Le panneau est en panne. Arhiman se bombera pour ses mille et un regards !

— Nous savons à qui nous devrons faire payer la mort de notre chimiste, cher Robert Ferrand !

— Vous feriez mieux de mesurer vos peaux au centimètre ! Elles ne valent plus bien cher.

Un roulement fracassant fait résonner toute la salle. Le remous du vent en furie vient de passer en tourbillonnant. Un vent bizarre qui a l'air de remuer des multitudes de mains...

Dawal a éclaté de rire.

— Cher ami ! Vous semblez oublier que vous avez affaire au maître des djinns ? Pour vous en convaincre, il n'est que de les entendre souffler la tempête sur les pentes de la montagne. Rouler des rochers. Déverser des cataractes ! Les voitures de police que vous attendez auront bien du mal à monter jusqu'à vous ! Peut-être arriveront-elles ? Mais trop tard. Ce palais ne sera plus qu'un chaos, où l'on retrouvera seulement le cadavre d'un petit détective sans importance. Si toutefois, nos amis les vautours le permettent ! Quant à nous, n'ayez aucune inquiétude, cher Robert ! Nous serons loin. Nous n'avons pas qu'une retraite. Et... qu'un aspect ! Ainsi Robert Ferrand va mourir. Mais... pas trop vite ! Il y a lieu auparavant de se distraire un peu. N'est-ce pas, Chandrah ?

Chaque racine de mes cheveux est douloureuse. Je sens que tout n'a pas été dit et que le supplice des supplices va avoir lieu. Tout en moi repousse une certitude qui de plus en plus s'impose, me pénètre, m'écartèle.

Le supplice dernier ce sera Anne-Marie !

J'ai déjà soupçonné sa présence derrière ce rideau. Elle est là ! Ils l'ont amenée. J'en suis sûr ! Dawal hideusement souriant, s'adresse à Chandrah immobile et qui semble planer dans un songe :

— Chandrah, je te livre cet homme. Mais fais un joli jeu !

Mes nerfs sont tellement à vif qu'ils deviennent d'une sensibilité surprenante. Je capte des courants d'ondes. Celles de Tréguer me parviennent, presque visiblement. Sont-ce les approches de la mort qui me donnent des facultés de perception aussi nettes ? Par-dessus le fracas de la tempête et les stridences du vent, je viens d'entendre d'autres bruits. Des claquements secs. Des rugissements de fauves. Des rafales de moteur. Il y a même des cris, mes appels...

Les djinns n'auraient-ils pas réussi à rendre tous les chemins impraticables ?

Chandrah et Dawal ont échangé un bref regard. Mais le vieux m'interpelle :

— Ici, cher ami Ferrand, l'espoir a toujours perdu son nom ! D'ici à ce que l'on découvre le chemin qui mène à cette salle, nous aurons le temps de nous amuser. Vous ne les verrez pas arriver, vos bons amis ! A toi maintenant, Chandrah !

Les yeux de Chandrah se sont fixés sur les miens. Je sens la brûlure de ce regard qui décharge sa haine. Je ne cillerai pas ! Mais je veux rompre cette tension insoutenable. Je gouaille :

— Ça ne prend pas, ton truc ! Tes fluides c'est zéro pour moi ! Hypnotiseur à la gomme !

— T'hypnotiser ? Jamais, mon cher ! Je veux que tu sois bien lucide, au contraire, pour apprécier comme il convient ce qui t'attend. Tu vas payer l'humiliation que tu m'as fait subir jadis! Tu as perdu, Ferrand! Je t'avais dit ce jour-là que je reprendrai la créature marquée de mon signe. Eh bien, je l'ai reprise!

— Tu mens! Tu as menti pendant toute ta sale vie! Je ne te crois pas plus que le vieux charognard qui est près de toi! Pas plus que votre bassin truqué, votre jardin à visions! Si c'est tout ce que vous avez trouvé, ben c'est raté!

Mais tandis que je jette ces phrases, en les criant pour mieux me convaincre, tout se contracte en moi. J'ai peur de perdre le souffle.

Dawal s'est approché. Le bouleversement qu'il lit sur mon visage doit être déjà bien savoureux pour lui. Il susurre :

— Mon cher Ferrand, vous avez tort de ne pas nous croire! Je vous assure que votre ravissante Anne-Marie est ici. J'ai eu une si grande peine quand je ne l'ai pas vue à l'aérodrome, que je l'ai fait chercher par mon secrétaire, dès notre arrivée. Oh! rassurez-vous! Nous l'avons bien traitée. Gâtée, pourrais-je dire! Nous lui avons surtout procuré le bonheur de retrouver celui auquel elle ne cessa jamais de penser! Celui qu'elle aime et à qui elle obéira, quoi lui qu'il commande. Anne-Marie est des nôtres, mon bon Robert! Vous allez vous en apercevoir!

Oui, le moment est venu pour moi de la suprême horreur. Je voudrais pouvoir me fracasser la tête contre un de ces murs!

Le vieux Dawal est allé lui-même soulever la tenture. Il appelle avec une mielleuse ironie, une voix douceâtre que j'aurais du plaisir à lui écraser dans le larynx :

— Entrez, chère beauté! Notre sœur! Le moment est venu de tenir vos promesses à Chandrah!

J'ai fermé les yeux. Je retrouve la vision que j'ai eue lors du rêve maudit. Je revois Anne-Marie drapée d'une tunique inconnue aux formes imprécises. C'est cela que je vais revoir. Une fumée. Une apparition...

Elle est là ! Droite. Raidie. Son aspect est bien réel. Elle porte le charmant petit ensemble qu'elle préfère. Mais son visage n'a plus de teint. Ses yeux étonnamment creux ont un regard presque noir. Leur belle eau si bleue, si claire a disparu. La bouche aussi est plus mince, serrée sur une résolution terrifiante.

Elle m'a vu ligoté sur cette table. Elle n'a pas bronché. On la dirait indifférente, insensible. Je comprends ! Elle est en état d'hypnose. N'était-elle pas ainsi lorsqu'elle volait les bijoux de son père pour les remettre à Chandrah ? Que va-t-on lui faire faire aujourd'hui ?

Très doucement, je lui parle :

— N'aie pas peur, Anne-Marie. Nos amis ne sont pas loin. On va nous délivrer.

Elle n'a pas semblé comprendre. Seul, le son de ma voix l'a fait légèrement tressaillir. Je l'appelle à nouveau :

— Anne-Marie... écoute bien...

— Tais-toi ! Je n'ai rien à écouter de toi ! Je n'ai jamais été faite pour toi ! Tu n'y as rien compris ! Tant pis !

Cette voix saccadée ? Ce ton de rancune haineuse ? Est-ce bien Anne-Marie qui a parlé ?

— Alors ? Tu as bien entendu, Ferrand ? demande Chandrah.

— J'entends les paroles que tu dictes à une femme endormie !

— Elle proclame la vérité dans son hypnose. C'est maintenant qu'elle ne ment plus !

S'il disait vrai ? Qui sait ce qui se dissimule dans

les profondeurs du subconscient? Anne-Marie a toujours aimé cet homme, malgré son ignominie! Et je commence à pressentir qu'elle va le prouver.

Mais Chandrah tient à son exhibition. Il interroge :

— Qui est ton maître, Anne-Marie ?

— Toi, Chandrah.

— Qui veux-tu suivre ?

— Toi, Chandrah !

Le rire du vieux Dawal craque. Il en oublie les djinns, dont les fureurs ont l'air de se calmer. A son tour, il interroge :

— Que faut-il faire de cet homme, belle Anne-Marie ?

— Le tuer.

— Et qui va le tuer ?

— Moi.

Non ! C'est trop beau pour être vrai ! Il faut que je discute le coup.

— Mais... ce n'est pas facile de tuer un bonhomme de ma taille. Comment va-t-elle s'y prendre ?

J'ai dû vexer Chandrah. Il en siffle de rage.

— Tu ne le crois pas ? Tu es vraiment présomptueux ! Regarde bien cette femme, Ferrand. Ta mort est écrite dans ses yeux. Et voici l'instrument ! Ainsi tout viendra de toi. Tu vois ?

Il a un rire sec. Je reconnais mon calibre. Celui que l'on a pris dans ma poche après m'avoir sonné dans le laboratoire de feu Jérôme. L'homme s'approche, me fait glisser de la table. Il veut que je sois debout. Moi aussi. Je préfère.

Me voici donc empaqueté, boiteux, à cause de ma chaussure perdue, les vêtements fripés, les cheveux hirsutes, devant cette femme qui fut la mienne et qui veut m'exécuter.

Alors, il m'arrive une chose incroyable ! Ahurissante !

Je constate que je n'éprouve rien !

C'est à croire qu'avant de me tuer, elle a déjà détruit ma sensibilité. Ma faculté de souffrir. Ou bien est-ce l'excès même de la souffrance qui m'anesthésie ?

Non ! C'est mieux. Je commence à comprendre. Et voici d'ailleurs la douleur qui se réveille et m'enfonce ses griffes partout. Ce qu'il y a ? C'est que : JE N'Y CROYAIS PAS !

J'espérais malgré tout. Je m'attendais à une frime, une astuce.

Maintenant je vois. Je ne doute plus.

Où va me frapper la première balle ?

Chandrah a remis l'arme à Anne-Marie. Elle l'a prise. Son doigt est sur la détente. Elle sait fort bien tirer. Je le lui ai appris. Elle a dû le leur dire.

Posément elle calcule sa distance.

Non ! Je n'aurais jamais soupçonné que ce visage de femme pût receler autant de haine froide. Ce sera donc la dernière vision de mon amour !

Transfiguré d'orgueil Chandrah guette le coup. Un rictus lui découvre toutes les dents. Il ressemble ainsi à ces têtes de dieux cruels, mi-homme mi-saurien, qui ornent certaines fresques hindoues.

N'est-il pas un dieu pour cette créature, dont il possède l'âme jusqu'au crime ? Elle n'est plus, entre ses mains, qu'une mécanique, mise par lui seul en action, et qui accomplira tout ce que le dieu Chandrah voudra lui ordonner.

Et moi qui, il y a peu d'heures encore, dans cette même salle, m'étais juré de ne laisser à personne le soin d'abattre ce vampire ! Un pari perdu !

Mais le vieux s'impatiente. Des soubresauts nerveux agitent ses jambes de squelette.

— Visez les yeux d'abord, chère petite !

Elle a reculé de quelques pas. Elle s'immobilise.
L'œil rond du canon d'acier paraît plus humain que
son œil à elle ! Je n'ai pourtant pas cessé de l'aimer !
Foutue bêtise !

Un mouvement rapide. La rafale est partie.

Chandrah s'est effondré, cassé en deux. Puis il y a
un cri :

— Robert ! Sauvé !

Et cela a failli me faire éclater le cœur !

A une vitesse de moteur supersonique mon cerveau réalise. Je vois le dieu Chandrah par terre,
parfaitement rectifié. Mais Anne-Marie, elle aussi,
vient de tomber. Elle est en syncope. Ses pauvres
nerfs ont lâché. Qui sait quelle lutte elle a dû
soutenir pour berner ces misérables ?

Je veux courir vers elle. J'ai oublié les cordes qui
m'empêtrent les jambes, me lient les bras derrière le
dos. Je me secoue furieusement, cherchant du
regard ce qui pourrait bien me servir à couper ces
saletés.

C'est alors que je vois !

J'avais aussi oublié le vieux monstre.

Il est là. Son profil de carnassier déplumé tourné
vers Anne-Marie. A petits pas d'ataxique il avance.
Et il a le même grognement abominable que lorsqu'il approchait de l'enfant livrée.

Un vent de folie me soulève. Des taches rouges
troublent ma vue. Une écume me sort des lèvres. Je
hurle :

— N'y touche pas ! N'y touche pas, immondice !
Je vais t'écraser !

L'affreux rire me répond. Dawal continue sa
marche lente et sûre.

Je me suis jeté sur les dalles. J'avancerai en
rampant. C'est tout ce que je peux faire. J'appelle :

— Anne-Marie !... Anne-Marie !

Si au moins elle reprenait connaissance ? Elle

pourrait tenter de se défendre ! Elle me délierait les membres ! Nous serions deux. Nous aurions raison du monstre.

Je m'arrache la gorge à appeler ! Il y a des sanglots dans ma voix.

Le rire aigre s'élève, devient perçant. Insupportable !

Je vois à présent la silhouette sombre penchée sur le corps d'Anne-Marie. J'essaie de ramper plus vite, de rouler pour gagner du terrain. Les cordes qui entourent mes poignets sont devenues gluantes. Je laisse des traînées pourpres sur mon chemin.

— Je t'étranglerai, vermine ! Je te ferai crever sous mes talons !

Une affreuse petite voix chevrotante module :

— Elle est belle ! Comme elle est belle ainsi avant le supplice !

Les mains du monstre sont sur le corps d'Anne-Marie. Je les vois trembler, glisser sur la gorge, fouiller le corsage.

Je hurle, comme une bête ivre de colère dans une nasse. Je ne peux plus articuler un mot, une syllabe intelligible. Mais j'avance. Peut-être pourrais-je déplacer Anne-Marie avec mon corps. Ou parvenir à tomber sur le vieux et à l'étouffer ?

Je vois la main qui se lève ! Le doigt pointé ! L'ongle démesuré prêt à entamer la douce paupière...

Une forte secousse, J'ai roulé sur Dawal. L'ongle m'a taillardé la joue. Mais le bonhomme se remet debout. Il est au-dessus de moi. Il faut que je le fasse trébucher. Combien de temps durera cette lutte ?

Et soudain la salle se remplit d'échos. J'entends mon nom clamé par la voix de Tréguer. Des hommes surgissent. Le vieux est saisi par deux mains qui se nouent à son cou. Puis je découvre un visage tragique, aux yeux morts.

L'aveugle ! Grébard. Et enfin Tréguer, qui coupe mes cordes !

Est-ce la fin du cauchemar ?

Anne-Marie est dans mes bras. Elle ouvre les yeux.

— Portons-la dans une voiture de police, dit Tréguer. Le nettoyage n'est pas encore terminé dans cette turne !

Malgré mon épuisement, je ne veux laisser à personne le soin d'emporter Anne-Marie. Précédé par Tréguer, je monte les premières marches d'un escalier de marbre, quand un juron de Grébard retentit :

— Mais nom de Dieu ! il n'y a plus qu'un seul machab' là-dedans ? Où est le vieil affreux ?

Dawal, que j'avais vu tombant des mains de Larjac comme un lapin étranglé, Dawal a disparu.

CHAPITRE XI

De quelle essence est donc fait ce vieux monstre ? C'est ce qu'il faut savoir maintenant à tout prix !

Tant que l'on n'aura pas saisi Dawal, un obscur danger continuera de planer sur nous tous.

J'explique la chose au chef de la police qui dirige, en personne, les opérations. Lui, nous fait comprendre que l'on ne désire pas en haut lieu, donner à cette extravagante affaire un trop grand retentissement. Un Etat qui se modernise doit étouffer sans bruit ces séquelles de fétichisme ancestral. Larjac ayant tout dévoilé, on sait officiellement maintenant ce que représente l'œuvre pie du richissime Dawal : le village des aveugles. On a appris comment avaient lieu les sacrifices. On connaît ceux qui y étaient mêlés.

Mais on veut éviter le procès de « l'homme aux mille et un regards », et les commentaires de la presse. La consigne est donc : nettoyage complet.

Bravo ! Tout à fait de cet avis.

Anne-Marie étant en sûreté dans une des voitures blindées que l'on garde, je repousse les conseils émus de l'entourage. J'ai peut-être une gueule de déterré, mais je suis encore capable de tenir ma partie ! Je reste à la fête ! J'ai un compte personnel à régler avec le sieur Dawal au bel ongle. Tréguer et le brave Grébard se joindront à moi.

Que les policiers continuent leur besogne en surface. Elle est très proprement faite et on doit déjà refuser du monde chez Arhiman !

Pour nous, même si nous devons descendre jusqu'à la racine de la montagne, nous ramènerons le Dawal. Ou sa peau !

Grébard me colle dans la main un beau joujou d'acier dont le contact me procure un singulier plaisir.

Le peintre a compris qu'il ne pouvait pas nous accompagner. Il risquerait de gêner, de retarder.

— Allez, laissez-moi ! Laissez l'aveugle ! Son rôle est terminé.

Des policiers vont l'emmener jusqu'aux voitures. J'ai préféré ne pas le regarder partir. La table de marbre noir est encore trop proche.

En parcourant les salles de ce maudit palais, Tréguer raconte :

— Ah ! mon vieux... les heures que j'ai passées à t'attendre chez les panthères !...

— Tu n'as pas reçu trop de coups de griffes ?

— Penses-tu ! Elles m'ont surtout foutu des puces ! Bug a été très bien. Mais quand j'ai compris que pour toi c'était raté, là, ça a failli basculer dans mon crâne ! D'autant plus que je savais pour Anne-Marie. On m'avait répondu à l'hôtel qu'un type au service de Dawal était venu la chercher de ta part ! De ta part ! Tu vois l'astuce. Elle ne pouvait pas se méfier la pauvre gosse !

Je m'arrête. Le cœur me fait mal. Grébard propose :

— Si vous remontiez, patron ?

— Vous m'avez regardé, mon vieux ? Vous n'êtes tout de même pas venu de Paris jusqu'ici pour voir Ferrand tourner en mie de pain ?

— Enfin ce type, c'est le diable ou quoi ? Nous

l'avons pourtant bien vu par terre, la gueule ouverte et la langue sortie ?

— C'est le diable, Grébard ! Mais tout diable qu'il soit il faut le poisser !

— On le poissera, patron !

Nous allons de salle en salle, sans rien découvrir d'autre que ce que les policiers ont laissé. J'ai pu découvrir la dernière grimace du secrétaire-cadenas, pour jamais cadenassé. Un peu plus loin, Grébard trébuche sur une sorte d'éponge : la Jaïra, percée de toutes parts.

— Un beau carton ! apprécie Tréguer.

Puis il enchaîne :

— Tu me croiras si tu veux, mais quand j'ai vu l'avion piquer sur le terrain, je me suis retrouvé à genoux. Tant pis si les fauves avaient mouillé l'endroit ! J'ai remercié Tomasina et toutes les puissances blanches ! Pendant ce temps-là des voitures arrivaient. Ah ! ça, ils n'ont pas marchandé. Ils ont mis toute la gomme ! Et il faisait pourtant une de ces tempêtes...

Grébard continue :

— A croire que des furies voulaient nous empêcher d'avancer ! Je n'ai jamais vu ça ! Mais le peintre nous a quand même joliment bien renseignés. Sans lui, personne ne pouvait soupçonner cette seconde entrée cachée dans la faille de la montagne ! Les gars nous auraient joué les courants d'air. C'était le cas de le dire, avec ce vent ! Il a fallu s'accrocher dur, et se corder... On aurait dit que les rochers nous repoussaient et que le vent avait des bras ! Non, vraiment... je n'ai jamais senti quelque chose comme ça !...

La voix de Grébard se fait plus lourde. J'ai l'impression qu'il n'est pas très bien depuis un moment, le bon gars ! C'est que nous nous enfonçons de plus en plus dans ce labyrinthe maudit et que la sensation d'une présence insolite nous saisit.

D'un commun accord nous nous taisons. Le bruit des armes automatiques qui là-haut terminent leur œuvre de justice et leur consigne de nettoyage, ne nous parvient plus que très atténué et presque irréel. Le silence nous cerne. Une chose indéfinissable pèse dans un air immobile.

Alors, commence une chasse étrange. Voici qu'apparaît enfin la silhouette du vieux. Nous nous précipitons. Mais c'est un miroir qui rudement nous reçoit. Une autre fois c'est le vide.

Dawal est-il devenu une ombre ? Sommes-nous entraînés à notre insu par une force surnaturelle à laquelle nous servons de jouets ? Le « maître des djinns » a encore bien des ressources magiques ! La sueur perle aux tempes de Grébard. Il a vraiment compris maintenant que nous ne chassons pas un gibier ordinaire.

Déroutés, nous nous arrêtons, pleins d'un trouble gênant à avouer, lorsqu'une masse bondissante surgit. C'est Bug ! Il nous crie :

— Là ! Il est là ! Derrière !

Ce disant, le Noir se lance contre un pan de la muraille, une porte dissimulée, qui cède. J'ai un recul. Nous voici au seuil de « la merveille ». L'effroyable panneau se met à nous regarder de tous ses cabochons.

Bien réel cette fois, Dawal nous voit venir. Il se dresse sur les deux marches qui soutiennent la plaque d'or et fait avec ses bras maigres des signes cabalistiques.

La vue des cabochons a fait verdir Grébard et nous fige, Tréguer et moi. Dans les yeux striés de veinules du sorcier, passe un éclair de triomphe. Il nous envoie vraiment des rayons noirs ! Une salutaire bouffée de rage me fait réagir... J'avance, serrant mon arme, et bien décidé.

C'est à ce moment que Bug a bondi. Son corps puissant, aux larges épaules s'interpose entre la silhouette du vieux et mon pétard.

— Non ! Il est pour Bug !

Avant que nous ayons pu faire un geste, le Noir a jeté Dawal gigotant sur son épaule et il part en courant parmi les couloirs et les salles.

Le soupçon d'une trahison m'effleure. Faut-il tirer, au risque d'abattre Bug ? Comme s'il m'avait deviné, il se retourne et nous appelle :

— Venez ! Venez ! C'est pour bien rire !

Nous courons. Je crains un moment que cette intervention de Bug finisse par nous faire perdre une fois de plus le sorcier. Décidément le mobile du Noir ne me paraît pas très net.

Quand nous atteignons le jardin, j'ai compris !

Bug nous entraîne vers les grilles dorées de la fauverie. D'un saut il a déjà franchi l'entrée et se dirige vers la fosse, où ses meilleurs amis attendent leur quotidienne provende.

Le maintenant toujours d'une poigne solide Bug vient de poser le bonhomme sur ses pieds. Tout au bord ! Déjà, du trou profond émergent des têtes scintillantes, aux gueules avides.

Collés à la grille, mes compagnons et moi retenons notre souffle.

Mais Dawal pointe son ongle sur Bug. Il siffle de rage et ricane encore. Va-t-il pétrifier Bug et s'envoler devant nous ? Le visage de Bug devient gris. Allons, il n'est pas de force. L'autre va échapper. Je lève mon arme. Mais Bug s'est ressaisi. Nous le voyons fouiller d'une main hâtive dans le col du vieux. Il en tire une chaînette qu'il casse d'un coup brutal.

Jamais je n'oublierai le cri abominable du sorcier

dépossédé. Ni le rire fracassant de Bug, brandissant l'amulette, la fameuse pierre noire qui donne le pouvoir maudit !

Alors, il se produit la chose la plus stupéfiante de toute cette aventure ! D'une voix grêle, aussi plaintive que celle d'un enfant, le vieux s'est mis à pleurer ! C'est insoutenable ! Une fois de plus je mets en joue.

Mais Bug m'a devancé. Saisissant Dawal par un pied et après l'avoir fait tournoyer au-dessus de la fosse, il l'a lâché.

Un grouillement effroyable. Des bruits d'absorption !...

Nous nous arrachons des grilles. Nos jambes sont molles.

Bug n'est pas avec nous. Je l'ai vu s'enfuir par la fauverie.

***
***

Nous ne sommes plus maintenant qu'un feu en marche dans le ciel nocturne.

L'Orient s'éloigne. Tel-Aviv est derrière nous depuis quelques minutes. L'avion vole vers Rome. Parcours détourné pour cause de frictions diplomatiques.

L'idée du passage à Rome me plaît. J'y trouve une assise pour y appuyer mon esprit quelque peu déconcerté. Pivot du monde antique, cette vieille Rome dispense toujours sa lumière. C'est à Rome que l'Orient se décante.

Jamais je ne me suis voulu aussi latin, qu'au sortir de ce monde de fantasmagories et de mirages.

Ai-je vraiment vécu toutes ces aventures ? Les ai-je rêvées ? A partir de quel moment précis les aurais-je rêvées ?

La tête d'Anne-Marie pèse son poids de sommeil

au creux de mon épaule. Nos doigts mêlés ont étroitement rapproché les paumes de nos deux mains. Cela forme un nœud chaud et tendre. Mais aussi un chaînon fort comme notre amour. Je commence à retrouver le goût habituel du bonheur.

A travers le hublot je vois courir des nuages floconneux. Les hélices font vibrer le morceau d'espace sur lequel nous glissons. En bas il y a la mer et ses cadences.

Demain matin, nous serons à Orly...

Nous étions deux à l'aller. Nous voici deux au retour. Tréguer, Grébard, Larjac ont disparu de notre horizon momentané. Leur absence me replonge dans le flou. Je suis à la lisière du réel. Je ne l'ai pas encore franchie.

Pourtant je sais que Tréguer est resté à Téhéran pour assister Larjac. Que Grébard est avec eux et les aide dans leurs démarches de paperasserie. Je sais qu'il n'y avait que deux places disponibles dans l'avion d'aujourd'hui, et que l'on a précipité notre départ. Nous avons besoin de repos. Il faut refaire notre tonus. D'ici peu de jours, l'avion suivant ramènera mes amis en Europe. Je me répète tout cela pour essayer de les situer. Je ne sais plus très bien s'ils sont vraiment à Téhéran ou s'ils n'ont jamais quitté l'asphalte parisien ? Leur présence dans la carlingue, à côté de nous, aurait authentifié des faits que je commence à ne plus voir qu'à travers un voile de cauchemar. Serais-je encore sous une influence occulte ? Y ai-je seulement jamais été ?

Je ne le saurai vraiment que lorsque j'aurai classé toute cette affaire dans les honnêtes cartonniers de l'agence. L'évocation de mon bureau avec sa fenêtre sur cette vieille Chaussée-d'Antin donne un tour plus vif au sang qui circule dans mes veines. Je respire l'odeur familière des papiers, du tabac, des tapis et jusqu'au parfum de savonnette bien sage de

Mlle Olga ! L'agence, ses bruits de téléphones, ses
allées et venues, ses secrets sans mystère ! Comme je
vais être heureux de m'y retrouver ! Il y a aussi le
« chez-nous », l'appartement des Ternes où il a fait
bon vivre mais là... quelque chose me gêne...
m'arrête dans cet élan vers ce qui compose le juste
équilibre de ma vie. Oui, je vois. C'est un tapis. Le
merveilleux Kâshân offert par le magnat. Je crois
que le mieux sera de l'anéantir. Je ne veux même
pas, en le vendant, transmettre ses fluides néfastes à
quiconque ! Bigre ! j'ai fait de singuliers progrès dans
les connaissances ésotériques ! Tréguer pourra se
gonfler !

La main d'Anne-Marie vient de frémir contre la
mienne. Rêve-t-elle, Anne-Marie ? Par quels phantasmes est-elle agitée ?

Doucement je caresse les doigts flexibles à la peau
satinée.

Petite main qui a tué !

Cela aussi a existé. Et tout ce que ma femme m'a
conté de sa propre aventure.

L'homme qui se présentait, bénin, obséquieux, de
la part de l'important M. Dawal, c'était le secrétaire
au sourire ambigu. La grosse voiture dans laquelle
Anne-Marie montait sans défiance, pour me rejoindre, puisque — lui avait-on dit — je la demandais
auprès de moi !

Mais le soupçon s'éveille en cours de route. Elle
ne peut s'expliquer pourquoi. Est-ce l'aspect de ces
gorges sinistres qu'on lui fait traverser entre des
montagnes sombres ? Est-ce la sensation de s'enfoncer dans une solitude presque définitive ? Son esprit
se met à travailler. Elle capte des ondes, perçoit un
danger pesant sur nous deux.

Elle questionne l'homme qui conduit. Ses
réponses sont vagues et teintées d'ironie. Elle voudrait retourner en arrière, alerter du monde. Mais la

course vertigineuse sur les pistes se poursuit. Où la conduit-on ? Et pourquoi ?

C'est alors qu'elle a l'impression que des voix bienfaisantes lui répondent. Il faut que le destin s'accomplisse. Elle a une mission. Elle doit l'accepter si elle veut sauver son bonheur. Et, malgré la peur qui la taraude durement, une conviction s'installe au fond d'elle-même. La certitude que nous devons sortir victorieux de cette épreuve diabolique. Elle m'a assuré avoir nettement entendu ce dernier mot !

La course angoissante arrive à son terme. Anne-Marie pénètre dans le jardin enchanté. Un moment éblouie par la somptuosité du lieu, elle se trouve ses pressentiments, sa défiance. Les sourires et les flatteries de la grosse Jaïra la hérissent. Elle demande à me voir au plus vite. On lui répond : « L'homme que vous aimez est ici en effet. Il vous y attend depuis toujours ».

Cette phrase sibylline, projette dans l'esprit d'Anne-Marie une lueur crue. On la trompe ! Qui sait si le cauteleux Chandrah n'est pas secrètement allié à ces gens suspects ?

C'est cet éclair qui nous a sauvés ! Lorsque Chandrah se présenta devant Anne-Marie, elle était prête à résister. Déjà son plan s'élaborait. Elle devrait employer les mêmes moyens, obliques et sournois, que nos adversaires. Elle reconnut vite que Chandrah n'exerçait plus aucun pouvoir sur elle. Avait-il jamais existé ? Il n'était fait que de sa propre suggestion, ce prétendu pouvoir ! Avait-elle aimé cet individu ? Tout en elle répondit : non ! C'était une illusion, un égarement de l'esprit. Elle aima un personnage créé par elle, mais que ne représentait pas le véritable Chandrah !

Ce véritable Chandrah lui apparut comme une créature de Dawal, lié à l'horrible vieux par d'effrayants secrets. Elle comprit aussi qu'il le haïssait. Il fallait jouer un jeu subtil, terriblement périlleux. D'abord repousser le désir de Chandrah, s'il le manifestait. Mais cela n'était pas à craindre. Le misérable fou avait dépassé ce stade, encore trop humain. Seule, la domination totale d'un esprit, d'une volonté, lui procurait une plénitude de volupté.

Anne-Marie se laissa mettre en état d'hypnose, et simula parfaitement toutes les réactions du sujet endormi. Avec ses regards appuyés, ses gestes rituels, ses mots incantatoires, Chandrah lui apparut comme un vulgaire histrion. Pourquoi ne l'avait-elle pas toujours vu ainsi ?

Enfin, lorsque germa dans le cerveau diabolique de Dawal, l'idée de me faire mourir par elle, Anne-Marie accepta d'enthousiasme. Elle faillit même se trahir, tant elle avait mis d'ardeur à approuver.

Elle fit mieux encore. Ayant deviné la haine de Chandrah pour Dawal, elle lui suggéra qu'après moi, elle pourrait bien aussi abattre le vieux, ce qui rendrait à l'associé sa liberté ? Chandrah vit beaucoup plus loin. La pierre noire hantait depuis longtemps son esprit. Mais sur Dawal vivant il n'osait pas porter la main, de peur de tomber en poussière. Et s'il avait eu déjà la tentation de le tuer, une terreur superstitieuse chaque fois arrêtait son geste. Qui sait ce que l'esprit du vieux maître des djinns pourrait déchaîner sur l'assassin ? Mais si quelqu'un d'autre prenait ce risque, tout pouvait s'accomplir. Qu'importe qu'Anne-Marie fût ensuite dévorée par d'innombrables monstres ! Lui, Chandrah, posséderait la pierre noire. Celle qui faisait gagner partout et toujours ! Celle qui l'égalerait à un dieu !

Il a fallu la subtilité et la ténacité de cette petite

bonne femme pour arriver à la minute où le sort se retourne !

Sans doute a-t-il fallu aussi qu'elle oppose aux sortilèges des puissances maudites, la force invincible de l'amour ! J'ai encore dans l'oreille la phrase qui terminait son récit :

— L'enjeu c'était toi, Robert. Ta vie m'est plus chère que tout ! Parce que je t'aime, tu sais !

Je sais. Mais j'ai douté. J'ai laissé le Mal s'introduire par cette fêlure. Et le Mal a failli nous dévorer !

Le bon fakir a raison, qui dit que les sentiments négatifs agissent comme des toxiques sur l'esprit.

Je suis entré en convalescence ! Demain nous serons à Orly ! La vie est bonne comme un fruit !

Une nouvelle question me taquine.

Et si toute cette histoire n'était que la fantasmagorie produite par le haschisch que l'on nous a fait absorber dans ces gâteaux et ces confitures, au dîner de Dawal ? On a voulu nous égarer ? Nous saouler ?

C'est surtout depuis ce moment-là que tout a changé !

Alors... je ne serais pas allé au village des aveugles ? Ni au jardin paradisiaque ? Ni dans le palais des mirages ? Je n'aurais pas vu l'horrible sacrifice de la petite danseuse ? Je n'aurais pas assisté, collé à la grille, à la fin de Dawal, livré aux reptiles ?...

Mais au fait... en quittant la ville, ce tantôt pour aller à l'aérodrome, et passant devant le building du magnat, n'ai-je pas cru reconnaître une silhouette mince et cassée ? Il descendait de sa Cadillac noire. Ses yeux malades m'ont regardé longtemps...

Il me semble que je les vois encore ! Mais oui ! Ils sont collés au hublot ! On dirait qu'ils se multiplient ! Ce sont bien les yeux sans couleur et striés de rouge de l'inquiétant Dawal ! Et voici qu'ils deviennent

une foule ! Des milliers d'yeux environnent l'avion !
Le ciel en est donc rempli ?

Je dors ! Je vais me réveiller !

Je suis réveillé, puisque j'entends, par-dessus le
bruit des moteurs, un rire qui craque et des mots que
je reconnais :

— *... a-t-on jamais pu savoir ce qui s'est passé
réellement à Barhein ?... vent de sable... courant
magnétique... qui donc affole les boussoles ?... Les
hommes et leurs machines sont attirés au gouffre... Et
après... les djinns... les djinns... les djinns... les
djinns...*

Quoi, les djinns ? Quoi ?

Est-ce encore une hallucination de mon cerveau
malade ? Le cauchemar qui continue ?

On vient d'allumer. L'avion tangue durement.

Très calmes, l'hôtesse et le steward nous deman-
dent de mettre nos ceintures.

Le copilote paraît avec un sourire qui, à lui seul,
est un aveu. Il parle :

— Pas d'inquiétude surtout ! Nous sommes en
butte à un phénomène atmosphérique. Ce n'est rien.
Nous allons descendre. S'il le faut nous nous pose-
rons sur les flots. Le canot de sauvetage est paré.

Cette fois je suis bien réveillé. Et j'ai assez
l'habitude des voyages aériens pour comprendre que
l'on ne nous a pas tout dit. Il me semble qu'un
moteur a flanché. Bon ! Nous sommes foutus !

Les puissances noires se sont déchaînées et elles
triomphent.

Qu'est-ce que la carcasse d'un avion, quand il est
aux prises avec ces forces inconnues, hostiles à
l'homme ?

Sur le ciel en folie passent des tourbillons de
brume déchiquetée. Je ne vois plus les yeux maudits.

Mais ceux d'Anne-Marie viennent de s'ouvrir. Leur limpidité me submerge, emplit cet avion en détresse, devient l'infini qui va nous recevoir.

La petite main serre toujours la mienne. Je l'ai senti trembler un court instant puis elle s'apaise. Enfin il y a ces mots soufflés à mon oreille :

— Enfin ! N'est-ce pas, mon chéri ? Ensemble !

Je l'ai enlacée. Je la serre fortement.. Mon cœur cogne. Mais ce n'est plus d'angoisse. Il sonne une victoire. Si nos corps doivent être désunis dans cette chute, nos deux âmes ne forment plus qu'une lumière. Maintenant je possède la certitude que nous avons échappé aux abîmes. Seul l'amour nous recevra dans son éternité...

Un D.C.4 tombe à la mer
par suite de circonstances indéterminées

Ce qui aurait pu devenir une véritable catastrophe, engloutissant une cinquantaine de personnes — équipage et passagers — a été miraculeusement évité, grâce à la présence dans les parages d'un cargo turc et d'un croiseur britannique. Tous les occupants de l'avion ont été recueillis. Mais le commandant qui, avec un sang-froid extraordinaire, a réussi à se poser sans trop de dégâts à même les flots, ne s'explique pas encore ce qui a pu provoquer la défaillance de l'appareil.

Les Journaux.

FIN

DÉJÀ PARUS DANS LA MÊME COLLECTION

Achevé d'imprimer le 20 décembre 1981
sur les presses de l'Imprimerie Bussière
à Saint-Amand (Cher)

— N° d'impression : 2393. —
Dépôt légal : Février 1982.
Imprimé en France

PUBLICATION MENSUELLE